仕事を自動で回して富と時間を手に入れる

Webライターが5億円稼ぐ仕組み

たくま（福田 卓馬）

JN039115

まえがき

30代になった僕は、「このまま人生が終わるのか」と、会社員としての日々に嫌気がさしていた。電車に乗って通勤し、会社で働くだけの毎日を繰り返す……。これをあと何年続けるのだろうか。そう思っていた。

そこから副業を始めたが、現実は思い通りにいかない。起きているほとんどの時間をライティングやブログの副業に費やしたが、思ったほど稼げなかった。何を勘違いしていたのだろう。努力すれば、年齢を重ねるごとに人生はよりよくなるとなんとなく思っていた。でも今の時代はそんなに甘くない。ただ、とある考え方を身につけてから変化が起こった。

「人と同じことができるようになっても生き残れない」。

この考え方を持つようになってから、僕の人生は大きく変わっていった。平凡な会社員だったが、副業で月300万円以上稼げるようになり、今では年商2・3億円の企業を経営している。会社の事業を通して、600人以上のメンバーに個人で稼ぐスキルを教えている。

人ができることを自分が同じようにできても、あなたの人生は変わらない。なぜなら「あなたである意味」がないからだ。あなたじゃなくてもいいなら、市場価格は上がらず、いつまでたっても稼げない。僕は30年以上生きてきて、こんな簡単なことにも気づいていなかった。

僕が思うに人生の原理原則は「人ができないスキルを学ぶからこそ、人よりも稼ぐことができる」ということ。とはいえ、「才能がないから人ができないスキルなんて習得できない」と言う人もいるだろう。この本を読んでいるあなたも同じことを思っているかもしれない。

それは大きな間違いだ。才能がなくても「人ができないスキル」を学ぶことはできる。

本書では「Webライターが5億円を生み出す仕組みの作り方」を解説している。タイトルの「5億円」という数字は、とんでもない額に思えるかもしれない。そんなに稼げるイメージができない……と思う人もいるだろう。だが、**この本の内容の通りに行動すれば、未経験からWebライターをスタートしても5億円稼げるようになる。**僕の場合、会社員をやめて3年後に累計5億円の売り上げを達成した。

なぜ凡人の僕が5億円稼げたのか、順を追って話そう。最初のきっかけは、会社をやめたい一心で、副業としてブログやWebライター業を始めたことだ。収入はお小遣い程度だったが、とにかく量をこなそうと思い、1000本以上の記事を執筆した。ブログではアフィリエイトを使って商品を紹介し、並行してWebライターの仕事も請け負った結果、副業を始めて2年ほどで収入は月50万円まで伸び、多い月は100万円を超えた。ライティングという市場価値の高いスキルを身につけたことが、転機になった。

ただ、ブログやライティングで得られる収入には限界がある。だから、リストマーケティングやWeb集客などの応用スキルを身につけて、個人や企業のコンサルティングをするようになった。ブログやWebライターを始めたい人を支援するオンラインスクールを立ち上げたのもこの頃だ。

「直接的に売り上げを生み出す仕組み」を学んで他の人に教えたこと。さらに、オンラインスクールという自社商品を作ったこと。同時にブログの閲覧数やＹｏｕＴｕｂｅの登録者数が伸びたこともあり、副業収入は月３００万円を超えた。

そして会社員をやめて経営者になってからは、副業時代に僕が経験したことを他の人に教えて、人材を育てながら事業を回している。事業内容はＷｅｂライターやＷｅｂ集客、マーケティング支援などさまざまだ。優秀な社員と、熱意のある６００人以上のコミュニティメンバーと一緒に仕事を回すことで、１期目の売り上げは１・５億円、２期目は２・３億円を達成した。

僕の経験上、月数百万円までは個人でも稼げる。僕自身も副業時代は月３００万円の収入を得ていた。しかし1億円、そして今回目指す5億円を稼ぐには「仕組み」が必要だ。そのためには、他の人の力を借りたり、商品を売る動線を設計したりしなくてはいけない。その内容を徹底的に解説したのが本書である。

本書の内容をさらに具体的に言うと、**第1章では「お金から自由になる人とならない人の違い」を６００人以上の人に教えてきた実体験からお伝えしている。**この章を読めば、億を稼ぐ人のマインドや考え方を身につけられる。第2章以降の実践に向けて、ウォーミングアップの役割を果たすだろう。途中くじけそうになったときにも、第1章を読み返せばモチベーションを取り戻せるはずだ。

第2章ではWebライターの仕事を始めて「売り上げを最大化する方法」を、初心者でも迷わないように作り込んだ。まずは市場価値のあるスキルを学んで、自分の価値を高めていくこと。僕が実際に会社員をしながら、副業でWebライターの仕事をした経験をもとに、最速で成果を出す方法をお伝えする。ここで学んだ「個で稼ぐ力をつける」方法は、Webライターでなくとも、例えば動画編集、SEOコンサルティング、その他Web系のあらゆる仕事で応用が可能だ。

第3章は、いよいよ仕組み化だ。自分のパートナーとなる右腕を育てて、人を動かす仕組みの作り方を解説している。仲間を作りながら仕事を広げていき、さらに大きな売り上げを生み出すことが狙いだ。この段階では、誰でも一定水準の仕事ができるようマニュアルを作成し、右腕や作業者に共有して仕事を進める。そうすれば、自分はキーボードを叩かずに、人材育成や営業活動に専念できるだろう。

第4章では自社商品を作って販売する仕組みについてまとめた。ＳＮＳアカウントやＬＩＮＥ公式アカウント、セミナーなどの手段を活用して「自分が稼働しなくても売り上げが伸びる仕組みを作る方法」を解説している。

本書の内容を実践すれば、未経験からのスタートでもどこに出ても恥ずかしくないスキルが身につき、会社をやめて個人で生きていける。そしてお金を生み出す仕組みを作り上げ、億を稼ぐ人間にもなれる。本書を読んであなたが5億円を稼げるようになったら、少なくともお金に関して不自由を感じることはなくなるだろう。さらに、同じ目標に向かって努力する仲間もできる。つまり、自分の力で「好きな場所」で「好きな時間」に「好きな相手」と働きたいという夢を叶《かな》えられるのだ。

本書で伝えるのは「簡単ではないが、確実にあなたの人生を変えるスキル」を手に入れる方法だ。机上の空論ではなく、僕がＥＸＴＡＧＥ株式会社を設立して1年目で年商1・5億円、2年目で2・3億円、3年目は10億円を目標に活動する中で培った「お金を生み出す仕組みの作り方」である。

本書は僕にとっては2冊目の書籍だ。前著『文章で金持ちになる教科書』(しかまる名)は本当に多くの方に読んでいただいた。ただし、前著を読んでいなくても問題ない。前著はブログやライターなど「個人で稼ぐ」方法をお伝えした。副業を始めたい人、ある程度の収入を手に入れたい人には、おすすめの1冊である。本書はそれに加えて「人を動かす方法」「仕組みを作る方法」を網羅している。個人の稼ぎには限界がある。ではどうすればいいのか。その答えを徹底的に書いた。個人で稼ぐスキルを学べるだけでなく、その先を見据えて小さな経済圏を作り、お金から自由になる方法について、僕のやってきたことをすべて詰め込んでいる。

僕は副業に挑戦して起業するまでに、知識不足で数えきれないほど失敗してきた。だからこそ、本書では「ただがむしゃらに稼ぐ」のではなく、先に目指すべきゴール地点を理解したうえで確実に前に進んでほしいと思い、**110項目のToDoリストを用意した。人によっては、1年ですべての項目にチェックがつく人もいるだろう。5年かけてコツコツ進めていくのもいい。どれだけ時間がかかっても、やる気が出ない日があってもいい。でも必ず110項目すべてにチェックをつけてほしい。**

これだけは言えるのは、リスト通りにひとつひとつこなしていけば、確実に成果が出るということだ。ToDoリストの内容をそのままやるだけでいい。

とはいえ、99%の人は挫折しそうになるだろう。

でもあなたが「行動する残り1%」になったのであれば、確実に人生が変わることをお約束する。

第1章

お金から自由になる人・お金に縛られる人の思考の違い

第2章

初心者から5億円稼ぐスケジュール

応用スキルを学んで販売する 84

第3章

ビジョンを共有する右腕を育てる

仕事が自動で回る仕組みを構築する②

右腕だけで仕事が回るかテストする

HOW TO EARN

¥500,000,000

第1章

お金から自由になる人・お金に縛られる人の思考の違い

第1章では、お金から自由になる人とそうでない人の違いについて触れていく。僕はこれまで企業の経営者、個人のインフルエンサーなど、たくさんの成功者に会ってきた。自分自身も「個人で稼げる人を増やす」ことを目的としてスクールを運営し、数百人の受講生にスキルを教えてきた。

すでに成功している経営者も、スクールの受講生も、結果を出す人には共通点がある。そして僕もその共通点を意識して行動を変えてきたからこそ、副業ブログで月３００万円稼げるようになり、独立後に１期目で年商１・５億の会社の社長になれた。

僕は日頃からブログやＹｏｕＴｕｂｅ、ＳＮＳで「個人で稼ぐ方法」について発信している。それらの内容を見た人から、ときどき「たくまさんはストイックですね」と言われることがある。一応前置きをすると、僕は他人にストイックな行動を強要するようなことはしない。彼らは僕を見て「自分自身に対して異常なまでにストイック」という印象を受けたようだ。しかし、僕は自分をストイックだとは思わない。どこから見ても凡人で何の才能もないから、人一倍行動しているだけだ。

これからお伝えするのは主にマインドの話。最初からノウハウを話さないのは、前提を知ってほしいからだ。何か行動をするにあたって、マインドが整っていなければ結果を出すのは難しい。何かを始めたい人に「〇〇をやりましょう」と言っても「でも私にはそんなスキルはありません」と弱腰になってしまい、やらない理由を探す人が多い。

でもそんなマインドは、この本を読んで捨ててほしい。これから話す内容はストイックに感じられるかもしれないが、僕がたくさんの人に出会ってきて結果を出す人に共通するものをピックアップしたものだ。

大切なのは「自分にはできない」というマインドをぶっ壊すことだ。金融系会社に勤めて、毎日「こんな仕事したくない。クソみたいな人生だ」と思っていた僕でもできたことだ。これから人生を変えていきたいのなら、今からお伝えするマインドを自分の中に落とし込むつもりで読み進めてほしい。

HOW TO EARN

¥500,000,000

疲れていても1分だけ作業すると結果が出る

心身の状態がいつも整っていることはない

成功者は、何かをやるときに100％準備した状態で挑もうとしない。成功できない人は、完璧に準備をしてから行動しようとする。これはスクールの受講生をはじめとして、自分が教える側になって気づいたことだ。「完璧な状態」にしないと動かない人が多すぎる。

なんとなく調子が悪いから筋トレをしない。残業をして疲れたから副業をしない。自分は憧れのあの人とは違うから、一歩を踏み出すのはまだ早い。会社の規定で副業は禁止されているから、規定が変わるまで副業はできない。

このように、理由をつけて行動しない人がたくさんいるのだ。同じように「副業する前にSNSをチェックする」「少し昼寝してから副業する」のような思考も危険だ。SNSのチェックや昼寝は少しの時間かもしれないが、積み重なると膨大な時間を無駄にしてしまう。そんな状態では、人生を変えることなど到底できないだろう。ましてや、億を稼ぐことなど不可能である。

結果を出したいのなら、中途半端な状態でも、自分の心身の状態が整っていなくても、とにかくやる。行動を継続していく。極端な例だが、**成功者は骨折しても筋トレするのだ。**「今日は調子が悪いから筋トレしない」なんて言っている成功者を、僕は見たことがない。

少し自分の話をすると、僕はどんな状態でも行動を開始できる。例えば、寝起きの髪がボサボサな状態でもジムに行く。起きたばかりで意識がはっきりしていなくても、自転車に乗って毎朝ジムに行くのが日課になっている。そのときに「髪がボサボサで気分が乗らない」「眠いからジムに行きたくない」といった思考は一切ない。

ジムに行きさえすれば、あとはトレーニングをやるしかない。せっかくジムに来たのだから、帰るという選択肢はない。無の状態からスタートできれば、行動に移せる。僕が見てきた他の成功者にも、このようなマインドは共通している。

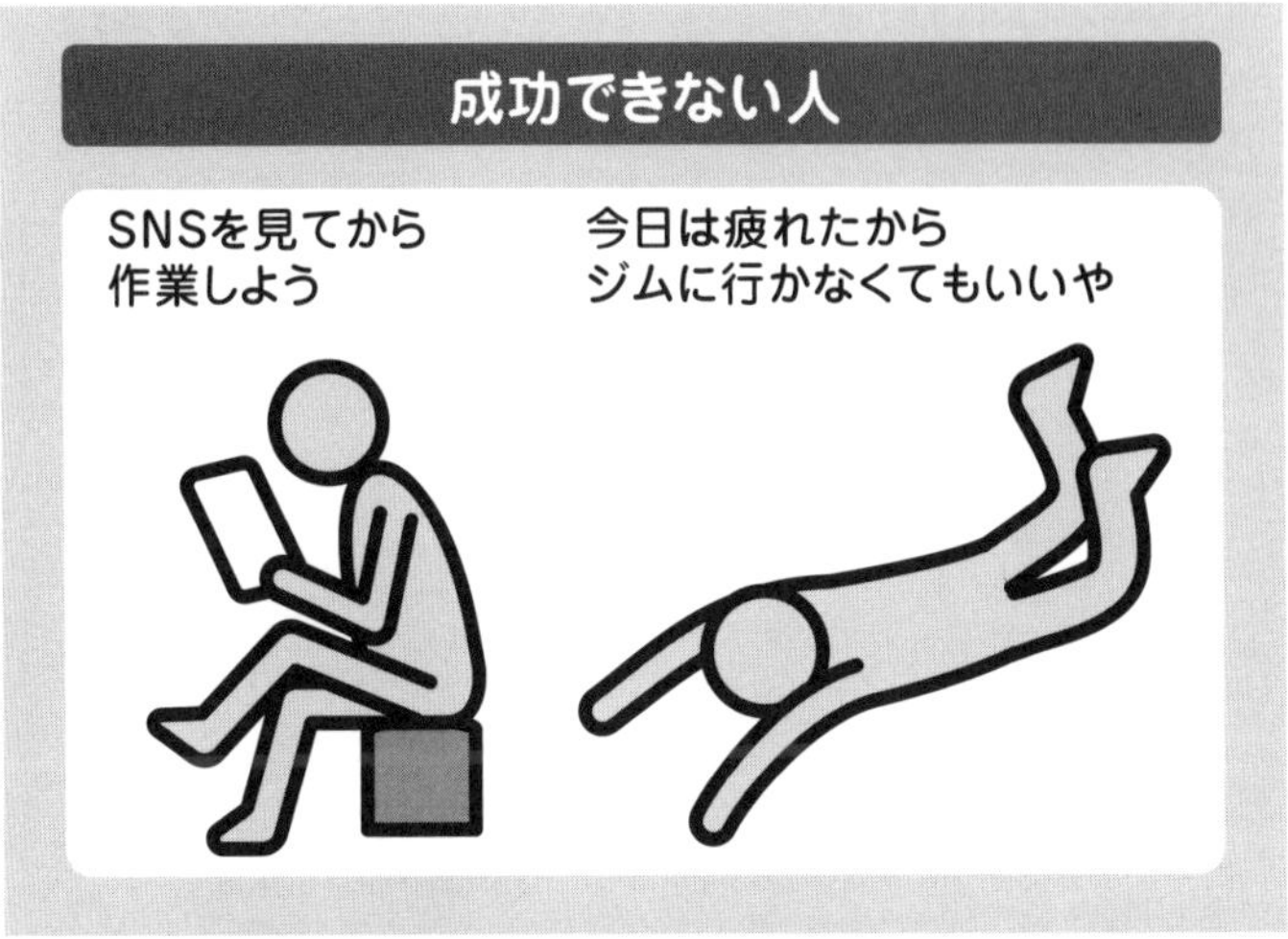

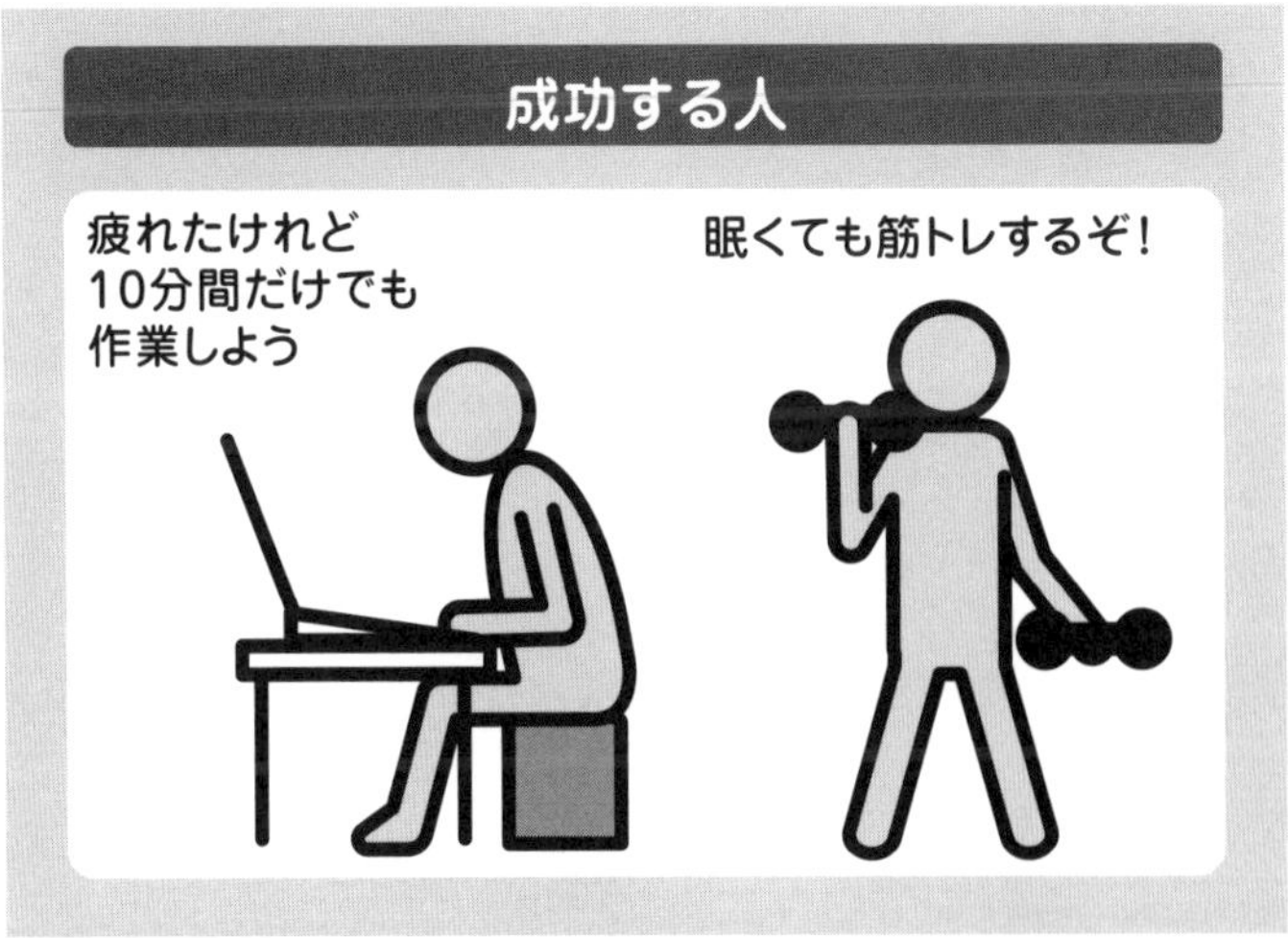

成功する人は、100%の状態でなくても行動している！

不安な思考を挟まない

このような話をすると「無の状態でスタートするなんて難しそうです。どうやったらそんなマインドを持てますか?」と聞かれることがある。僕なりの答えは、思考を挟まないことだ。**「やりたくない」という考えになるから、やるべきことを後回しにしてしまう。**

トレーニングをするかどうかは、ジムに行ってから考えればいい。行ってしまいさえすれば「やっぱり家に帰る」という選択肢は出てこないだろう。行くまでに思考を挟んではいけない。「筋トレしたくない」と考えそうになったときは、思考するのをやめて行動するのだ。100%準備した状態で挑もうとしない。中途半端な状態でも行動する。このマインドは後天的に養えるのか? と疑問に思った方もいるかもしれない。結論を言うと、もともとこのマインドを持っていなくても、あとから養うことは可能である。そのためには「マインドを変える環境に飛び込むこと」が大切だと思っている。

僕の運営するオンラインスクールには約600人の生徒がいる。個人的な体感だが、受講生のなかでこのマインドを持っているのは、10〜20人くらいだ。単純計算すると、1〜3％の人間が、無思考で行動できるマインドを持っていることになる。

だが、そのうちのすべての受講生が、もともと行動できていたかというと、そうではない。彼らの中には、後天的にこのマインドを身につけた人がいる。環境や周りの人の影響で、行動するマインドが醸成されたのだ。例えば、僕のスクールでは、毎月オフィスに集まって作業会を開催している。希望者が集まって同じ場所で作業をしたり、交流をしたり、ときには相談をしたりする場となっている。

僕はこの作業会に頻繁に顔を出すようにしていて、よく思うことがある。作業会に参加するメンバーは、行動するマインドを身につけている人が多い。なぜなら、作業会に来ると、今お伝えしているような内容を何度も聞くことになるからだ。もともと行動する力が弱い人であっても、面と向かってかけられる言葉の力に動かされるのだろう。作業会に来ることで、行動しているメンバーに囲まれるから、自然と成功者のマインドが自分の中に落としこまれるのかもしれない。

行動マインドをどのように身につけるのか？

僕の場合は、環境が大きな要因である。幼少期からバレーボールをやっていた僕は、小学生の頃から尋常ではない練習量をこなしてきた。来る日も来る日も練習。今の時代ではハラスメントとして問題になりそうだが、指導者から殴られることも日常茶飯事だった。スポーツの世界は厳しいもので、それだけの練習量をこなしても、「次はようやく勝てるかもしれない」くらいの心持ちで試合に臨んでいた。

その結果試合に負けたとしても、次から練習に来ないような人はいなかったのである。みんな粛々と翌日から練習を再開していた。どんなに練習がハードでも「つらいからやらない」という選択肢はなかった。そんな環境だったので、とにかく行動するマインドが醸成されたのだ。

もしあなたが「私にはできない。成功者のマインドなんて持てそうにない」と思ったのなら、あなたの人生は今のまま何も変わらない。無理だと思うのなら、本書を閉じて、やさしい自己啓発本を読んでくれればいい。でもこの本を手に取ったということは、何かしら自分の人生を変えたいと思っているはずだ。今のままの自分ではダメだと、心の底ではわかっているのではないだろうか。

あなたが変わりたいと思っているのなら、「行動しろ」と言ってくれる人に会うことが、マインドを作る一歩である。周りにいる人の影響は、予想以上に大きいものだ。あなたの周りにいる人が、あなたの思考を形成している。

とはいえ「そんな言葉をかけてくれる人は周りにいない」という方もいるだろう。その場合は本書を使ってほしい。

本書では、繰り返し行動することの重要性を説いていく。行動を起こす勇気がないとき。継続をやめてしまいたくなったとき。そのようなときに本書を使って、自分を鼓舞すればいい。億を稼ぐのはもちろん簡単ではない。しかしマインドが変われば、確実に行動は変わる。そしてあなた自身の成果も変わっていくだろう。

１００％の準備をしようとするな。思考を挟むな。行動しろ。

難しいことにこそ「価値」がある

「嫌なことの階段」を上ると他人と差別化できる

誰でもできるようなことに価値はない。誰でもできる時点で、他の人にすぐ追いつかれてしまうからだ。**人が真似《まね》できないような、難しいことにこそ価値がある。**「他の人にできないこと」ができるようになって、初めて価値が生まれると思っている。とはいえ、難しいことをどうしたらできるようになるのか、イメージが湧かない方もいるだろう。別の表現に置き換えると、**「嫌なことの階段」を駆け上がっていく**ことがヒントになると思う。他の人がやらないような嫌なことに挑戦すれば、他の人と差別化できる。

例えばＹｏｕＴｕｂｅの顔出しは、やりたくない人が多いだろう。顔出しするなんて恥ずかしい。身バレが怖いと思う人が多いのではないだろうか。だが、伸びているＹｏｕＴｕｂｅチャンネルは、顔出しをしている人が多いのは明らかだ。だから彼らと同じところにいくために、僕は顔出しするようになった。つまり「ＹｏｕＴｕｂｅで顔出しする」という、嫌なことの階段をひとつ上ったことになる。その他にもアルゴリズムを学ばないといけない。サムネイルにこだわらないといけない。チャンネルを伸ばすには、質の高い動画をアップし続けないといけない……など、嫌なことがどんどん出てくる。

嫌なことの階段を一段ずつ上がっていく

増えた段差が参入障壁になり
他の人との差別化ができる

あの人には追いつけないなぁ…

こうした「嫌なこと」をひとつずつこなすと、階段が一段ずつ増えていく。**僕が意識しているのは、他の人が嫌がることを率先しておこない、段差を増やしていくことだ。**段差が増えて上にいけば、その階段が参入障壁となる。

嫌なことに挑戦せず、継続をやめてしまう人は山ほどいる。先ほどのYouTubeの例のように、「顔出ししたくない」「収益化できてないのに動画を投稿したくない」など、やりたくないことがたくさんあるからだ。彼らと差別化するために、積極的に嫌なことをしていく。このように「嫌なこと」の段差を増やしていくと、階段が自分を守ってくれて生き残りやすくなると僕は考えている。

フォロワー数を伸ばすだけでは稼げない

僕はときどきインフルエンサーと呼ばれることがある。インフルエンサーとは、SNSを中心にフォロワーを増やし、影響力をつけている人を指す。たしかに僕はX（旧Twitter）やYouTubeでWeb集客やフリーランスに関する発信をしていて、5・7万人以上のフォロワーがいる。

たしかにインフルエンサーなのかもしれないが、同じことをし続けていては、いつまでたっても階段の上にはいけない。インフルエンサーがやることといえば知名度を上げることくらいだ。Xでフォロワーが増えて影響力が高まっても、階段の高さは変わらない。**「フォロワー数を伸ばす」という、同じ階段に停滞しているようなものだと思う。**

違うことにチャレンジして階段を上っていかなければ、一生同じことをつぶやき続けるだけだ。僕は、経営者として事業を作ったり、不動産投資をしたりと、あえてインフルエンサーが挑戦していない領域に手を広げている。インフルエンサーのように個人名に影響力をつけるのではなく、『EXTAGE』という会社名に影響力をつけることを意識している。周りの人がやっていないことに挑戦すれば、階段の段差が増えて、周りと差が生まれると思うからだ。

「嫌なこと」の階段を上がっていくことは、他にもメリットがある。階段の上にいくにつれて、視座も上がっていく。以前の僕は金融系企業に勤める平凡なサラリーマンだったが、現在はフリーランスや経営者の視点も持ち合わせている。副業ブログの話もできるし、Webライターやリストマーケティング、経営の話もできる。このように段差を増やして視座が上がれば、難しいことが当たり前にできるようになる。

さらに、段数を増やすと会える人も変わってくる。上の人とつながるためには階段を駆け上がらないといけない。僕は事業家や経営者にたくさん会ってきたが、嫌なことに挑戦して事業を大きくしてきたから、階段を上って彼らと話すことができた。

ずっと同じことをしていては、次にいけず、成長は見込めない。今やっていることが70%できるようになったら、次にいく。「嫌なこと」の階段の段差を増やしていくのが、成長の近道だ。築いてきた階段は自分を守る壁となり、他の人は自分の活動を簡単に真似できなくなる。

他の人ができないような、難しいことこそ挑戦する価値がある。

HOW TO EARN

¥500,000,000

初心者こそ稼ぐ仕組みを作れ

仕組みの理解は早ければ早いほどいい

自分の時間を使って作る売り上げには限界がある。億を稼ぐためには、自分以外の人やものを動かす仕組みを作らなくてはいけない。初心者の方に「仕組みを作れ」と言ってもピンとこないかもしれないが、なるべく早い段階で仕組みの全体像を理解することが大切だと思っている。

僕はときどきブログやライター初心者の相談に乗る。彼らの悩みを聞くと、目の前の課題にいっぱいいっぱいで、全体像を理解していない人が多いように思う。例えばWebライターの仕事は、ただ営業しまくれば案件を受注できるわけではない。提案文や個別面談、アプローチ数など複数の要素を改善して、初めて案件を受注できるようになる。営業活動のなかにも「提案文」「個別面談」「アプローチ数」と、複数の要素があるわけだ。これらの質と量を高めなければ、営業は成功しない。こうした「結果を左右する要素」を整理することが、全体像を知るヒントになるだろう。

営業の細かなコツについては次章でお伝えするが、ここで言いたいのは「初心者こそ仕組み作りに注力すべき」ということだ。仕組みを作るためには、まず全体像を知ること。今やっていることで成果を出すために、どんな要素がかけ合わさっているのか整理することだ。

「アクセス・収益・成約」数字のログを取る

そして、行動を起こしたら「アクションに対してどれだけ数字が動いたのか」を把握することも重要である。これも初心者によくあるのだが、自分が起こした行動に対する結果を、感覚で捉えてしまう人が多い。「ブログで収益が発生しました」といっても、収益が発生するまでにさまざまな数字が動いたはずだ。アクセス数、成約率など、分析するべき項目がたくさんある。それらを知らずに行動を続けても、また同じ結果を出せるとは限らない。

数字の分析について、もうひとつ例を挙げよう。例えばＷｅｂライターの仕事で１００

件営業したのなら、そのひとつひとつの数字のログを取る。１００件のうち受注数は何件なのか。失注数は何件なのか。そしてそれぞれの案件についても、ひとつずつ結果の要因を分析していく。

とある案件が失注したなら、なぜ採用に至らなかったのか分析する。営業時に送った提案文の段階で落とされてしまったのか。それとも個別面談で落とされてしまったのか。これらのログを取り、数字を残しておく。

もし提案文が通過して面談で失注になったのなら、スムーズに話せるような自己ＰＲの仕方を学んだり、話し方を改善したほうがいいかもしれない。行動の結果を分析すれば、成功パターンと失敗パターンが見えてくる。**自分なりに法則を見つけて、成功確率が高い行動をする。**これこそが、初心者が結果を出すために必要なことである。

繰り返しになるが、行動したら自分が起こしたアクションに対する結果を分析すること。そして分析するときは、感覚的な主観ではなく、数字にもとづいた客観的な事実を把握しよう。僕は数えきれないほどのブログやライター初心者の相談に乗ってきたが、これらを意識している人は、圧倒的に結果を出すスピードが速い。

行動したら、結果に対する数字を分析する

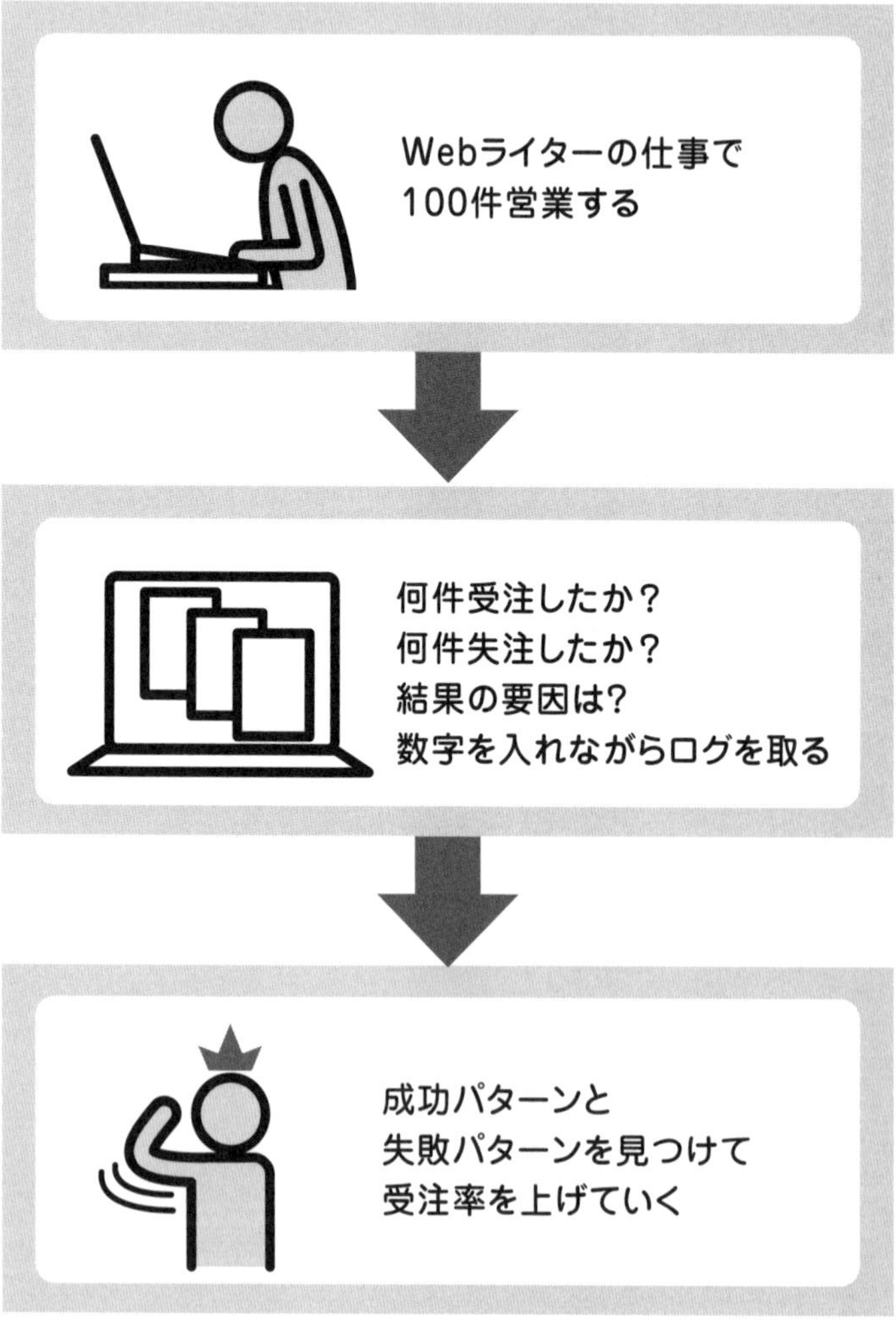
Webライターの仕事で
100件営業する
何件受注したか？
何件失注したか？
結果の要因は?
数字を入れながらログを取る
成功パターンと
失敗パターンを見つけて
受注率を上げていく

収益につながる行動、無意味な行動を把握

初心者はスキルや経験値が低いので、当然精度の高いことはできない。その分、数を打つことになる。しかし、営業メールを送りまくる、ブログを1日5本書くなど、むやみやたらに行動量を増やしてはいけない。ノリやセンスで押し切ろうとしても、経験者には到底敵《かな》わない。

だが、行動を分析して収益が上がるパターンがわかれば、経験者と違う進化の仕方ができる。そのためには「自分を実験台にする」という思考が必要だ。「失敗したくない」という気持ちもわかるが、実験を成功させるためには失敗するケースも見ておくべきだ。

繰り返しになるが、経験やスキルが浅い初心者は「仕組みの全体像を知ること」「自分が起こしたアクションに対する結果を分析すること」、この2点を意識して行動すれば、仕組みを作るスピードが加速するだろう。

自分の時間を使って生み出せる売り上げには限界がある。初心者こそ仕組みを作れ。

HOW TO EARN

¥500,000,000

第2章

初心者から5億円稼ぐスケジュール

ここからは、**ゼロから5億円稼ぐスケジュール**を解説する。

スケジュールの大まかな流れを紹介しよう。まずは市場価値のあるスキルを身につけて、案件を獲得する。この段階では、会社員の仕事と並行しながら副業でスキルを定着させていくのがいいだろう（市場価値の高いスキルにはさまざまなものがあるが、本文内では、もちろんWebライターの仕事について紹介する）。

次に、培ったスキルを横展開して右腕を育てる。自分のクローンを作るようなイメージだ。億を稼ぐためには、人やものの力を借りて仕組み化する必要がある。自分が手を動かさなくても仕事が回るようになれば、一人の作業量では限界だった売り上げ額を超えられるだろう。

最後に、自社商品を販売して小さな経済圏を作る。スキルの身につけ方や右腕を育てる方法を商品化して、サービスとして売る。購入した人には仕事を依頼して、自分の周りでお金が回っていく状況を作り出す。

僕は数年前まで「会社をやめたい」「こんな仕事やりたくない」と思っている、ごく普通の会社員だった。だが、これらの内容を試したら、会社員をしながら月300万円以上を稼ぎ、会社員をやめて3年後には累計5億円の売り上げを達成した。

これからお伝えする内容はスパルタに見えるかもしれないが、凡人の僕でも5億円を稼げるようになった方法だ。前半では5億円という目標達成のためのポイントを端的にまとめ、途中、僕自身のストーリーを紹介している（P77など本文用紙の色をグレーにしているページ）。ここで注目してほしいのは「失敗」だ。第1章でも解説した通り、多くの失敗パターンを見ることは、あなたがこれから仕組みを作るうえで重要なことだ。反面教師として参考にしてほしい。

ゼロから5億円を稼ぐために必要なのは「正しい知識」と「正しい行動」の2つである。これらなくして成功はあり得ない。

僕はたくさん失敗して遠回りしてきたので、**あなたには最短ルートで目標に到達できるようスケジュールを設計した。今からお伝えする順番通りに行動すれば、あなたの未来は大きく変わっていくだろう。**

教材を使ってライティングを学ぶ

1 □ 『20歳の自分に受けさせたい文章講義』を読む

2 □ 『沈黙のWebライティング ―Webマーケッター ボーンの激闘―』を読む

3 □ 【99%の人が間違っている】ブログのライティング完全ロードマップ【完全保存版】を見る

4 □ 【完全網羅】未経験からWebライターで0→100万円稼ぐための完全ロードマップ【案件受注テンプレート付き】を見る

5 □ 【完全網羅】ブログ記事の書き方の基礎講義+文章テンプレ配布【1・5億稼ぐ文章のプロが解説】を見る

ソフトスキルを身につける

6 □ わからないことが出てきたときの対処法を知る
7 □ 募集要項やレギュレーションを読み込む
8 □ 公開済みの記事を参考にしてヒントを得る
9 □ メッセージを送るときは適度に改行し、読みやすさを考慮する
10 □ 相手の時間を奪わないコミュニケーションをとる
11 □ 解決法を聞くのではなく選択肢を提示して指示をあおぐ
12 □ 明らかに誰かが修正しなくてはいけないことは自分で直す
13 □ メッセージに見てほしい部分のスクリーンショットを添付する

案件を獲得する

14 □ Xのアカウントを開設する
15 □ Webライターを名乗る

16 □ 「#ライター募集」と検索して仕事に応募する

17 □ ランサーズに登録する

18 □ クラウドワークスに登録する

19 □ ランサーズ、クラウドワークスでライティング案件を探して応募する

仕事の進め方を検証する

20 □ アプローチ数を増やす(目安は月100件)

21 □ 成功したパターンを検証する

22 □ 失敗したパターンを検証する

23 □ 案件の継続率を見る(目安は10〜20%)

24 □ 継続率が低いのなら、基礎スキルかソフトスキルのどちらか、もしくは両方を見直す

25 □ 稼ぎたい金額を設定する(例：月20万円)

26 □ 稼ぎたい金額から目標単価を設定する（例：文字単価2・5円）

リストマーケティングのスキルを身につける

27 □ リストマーケティングの仕組みを学ぶ

28 □ Webメディアを持っているが、メルマガやLINE公式アカウントがないクライアントを探す

29 □ クライアントに応用スキルを販売する（例：リストマーケティング）

30 □ 効果の出る営業トークを学ぶ

31 □ クライアントの現状を把握する（例：現在の成約率、新規・既存のリスト数、商品単価）

32 □ クライアントに未来を見せる（例：公式LINEを作ったら売り上げが2倍になる）

33 □ 成功事例を提示する（似たビジネスモデルの成功例を見せる）

34 □ 解決策を提案する（クライアントのケースに当てはめた施策の提案）

市場価値のあるスキルを学びながら案件を獲得する

スキルと案件獲得の3つのポイント

まずは、市場価値のあるスキルを学びながら案件を獲得する。ここでお伝えしたいポイントは、以下の3つだ。

❶基礎スキルを学ぶ
❷ソフトスキルを身につける
❸案件を獲得する

まずはこれらの手順を踏んで、自分自身にスキルをつけていく。「スキルを学んで案件を獲得するなんて面倒くさそう」と思う人もいるかもしれないが、大変なことに挑戦し成果を出せれば、それだけ飛躍できる可能性が高まっていく。僕自身、ブログを始めて半年間はまったく成果が出なかったが、1年、2年と続けたら月100万円以上を稼げるようになった。成果が上がるスピードは急激に変化するものだ。では、3つのポイントをそれぞれ見ていこう。

❶基礎スキルを学ぶ

基礎スキルとは、どの業界にも通じるような根本となるスキル、かつニーズが高いスキルのことだ。

例えば、会社員時代の僕はブログやWebライターの仕事を通して「ライティング」のスキルを身につけた。**ライティングは会社員、フリーランス、経営者問わず持っておきたいスキルのひとつだろう。どの業界にも、企画書やキャッチコピーを作る「ライティングスキル」のニーズは存在するからだ。**仕事で難しい文章や長い文章を書く機会がなかったとしても、ライティング力があればさまざまな場所で役に立つ。正確な情報をわかりやすく伝えるライティングの力があれば、メールやチャットのコミュニケーションもスムーズにできる。

この他にも、Webの業界なら以下のスキルが「市場価値の高い基礎スキル」である。

- デザイン
- マーケティング
- プログラミング

このような基礎スキルを身につけて、案件を獲得していく。いきなりフリーランスになって仕事を受注するのはハードルが高いので、まずは会社員の傍ら副業で始めるのがいいだろう。このような話をすると「なぜ基礎スキルを学ぶ必要があるのか。お金を稼ぐためには人やものに動いてもらったほうがいいというのが本書のテーマでは?」と思う人がいるかもしれない。たしかに5億円を稼ぐのなら、人やものに動いてもらう仕組みが必須だ。

しかし、その**仕組みを作るためには、根幹となる手法を自分自身で経験する必要がある。経験から学んだ法則を横展開して事業を作るためだ。**事業を作る方法については以降の章で詳しくお伝えするが、人やものを動かすためには、まず自分自身で経験を積まなくてはいけない。僕も最初はブログやWebライターを始めて、徐々に仕事を他の人にお願いするようになり、複数の事業を展開する法人の経営者になった。

仕組みを作る全体像

仕組みの根幹になる事業を自分自身で経験する

例）Webライターの仕事

↓

経験から学んだ法則を横展開して事業を作る

↓

複数の事業を展開する会社の経営者になる

したがって、まずは市場価値のあるスキルを学ぶこと。「最終的にWebライター以外にもやりたいことがある。ライティングのスキル獲得にそこまで注力する必要があるのか？」という方にも、ライティングの力はつけることをおすすめする。ほとんどの仕事のやり取りがメールやチャットでおこなわれる今、**ライティング力は、コミュニケーション能力に直結するからだ。**クライアントと深い関係を構築しやすく、より単価の高い仕事につなげやすい。

クライアントと深い関係を構築できれば、後々アップセル（単価が高いサービスを購入してもらうこと）ができるようになる。僕が運営するオンラインスクールでも、ライティングの仕事を始めてクライアントと関係を作り、より単価の高いサービスを受注しているメンバーがいる。

ライティング力の身につけ方

ライティングスキルを定着させるには、教材を利用するのが一番効果的だ。スキルを上げるために有用な書籍、動画コンテンツを紹介しよう。

ライティング力が身につく教材

書籍

- 『20 歳の自分に受けさせたい文章講義』古賀史健著（星海社新書）
- 『沈黙の Webライティング ―Webマーケッター ボーンの激闘―』松尾茂起著（エムディエヌコーポレーション）

動画

YouTube『たくま（福田 卓馬）【EXTAGE WORKS】』（@FukudaTakuma1）

- 【99% の人が間違っている】ブログのライティング完全ロードマップ【完全保存版】
  https://www.youtube.com/watch?v=7k-X36pCxd8
- 【完全網羅】未経験からＷｅｂライターで０→１００万円稼ぐための完全ロードマップ【案件受注テンプレート付き】
  https://www.youtube.com/watch?v=4-knnP53_GU
- 【完全網羅】ブログ記事の書き方の基礎講義＋文章テンプレ配布【１.５億稼ぐ文章のプロが解説】
  https://www.youtube.com/watch?v=kq2kfG1OGrs

書籍は、僕が実際にライティングを学ぶために活用した２冊だ。書き方の基本が身につく。Web の記事に即したライティングの方法も一通り頭に入るだろう。

動画では、「ゼロからスキルを定着させるコツ」について紹介しているので、参考にしてほしい。こうした教材を使って、文章の書き方や記事を作る手順、わかりやすい文章を書くコツを勉強しよう。

※動画は予告なく終了する可能性があります。ご了承ください。

❷ソフトスキルを身につける

２つ目のポイントはソフトスキルを身につけること。ソフトスキルとは、論理的思考力やコミュニケーション能力、協調性など、仕事をするうえでベースとなるスキルだ。

ソフトスキルの要素はさまざまだが、**もっとも大事なのは「相手の時間を奪わないコミュニケーション術」を学ぶことである。**

コミュニケーションコストを抑える

少しわかりにくいと思うので、例をひとつ挙げよう。月５万円で仕事をお願いできるＡさんと、月10万円で仕事をお願いできるＢさんがいたとする。

発注金額だけ見れば、Ａさんのほうがかかるコストは少ない。しかし、Ａさんはとにかく連絡してくる頻度が高い。すでに指示した内容を質問してくることもある。

一方、Ｂさんは最初にしっかりやり取りをすれば、あとから質問してくることはほとんどどない。レギュレーション（仕事のルールをまとめたマニュアル）をしっかり読み込んで、質の高い成果物を出してくれる。

この2人を比べたときに、クライアントが継続発注したいと思うのはBさんである。**発注金額が高かったとしても、やり取りにかかる「時間」が短いからだ。**「コミュニケーションコスト」という観点で見たときに、Bさんのほうがコスパがいいのである。

こうしたコミュニケーション術や相手への配慮は、一見大した問題ではないように見えるかもしれない。しかし「やり取りに時間がかかる」ということは、コストがかかっているのと同義なのだ。

連絡頻度が高いAさん

発注金額は5万円
ただ、やり取りに時間がかかる
既に指示した内容を質問してくる

↓

コミュニケーションコストがかかる
ので仕事を依頼したくない

最低限の連絡で質の高い仕事をするBさん

発注金額は10万円
最初にしっかりやり取りをすれば
質問してくることはほとんどない
質の高い成果物を作ってくれる

↓

お金がかかっても
仕事をお願いしたい！

ライティングをはじめとした「ハードスキル」が高く、仕事が速い人であっても「相手の時間を奪わない意識」が欠けると、個人で仕事を獲得するのは難しい。クライアントは、自分の時間を効率化するために他人に仕事を発注しているからだ。せっかく仕事を発注したのに、依頼した相手から何回も質問を受けたら、回答に時間がかかるうえに、発注しているコストまでかかってしまう。つまり、時間もお金も無駄になるわけだ。

言わずもがな、時間もお金もかかる相手に仕事を発注したい人はいないだろう。繰り返しになるが、ポイントは相手の時間を奪わないことだ。Ｗｅｂライターの仕事を例に、コミュニケーションのコツを見てみよう。

調べればわかることを質問しない

仕事を受けると、わからないことや質問したいことが出てくるだろう。しかし、思考停止で相手に質問してはいけない。

- 提示された報酬は税込か税別か
- 記事の納品形式はＷｏｒｄかＧｏｏｇｌｅドキュメントか
- 原稿は「です・ます調」「だ・である調」のどちらで書くか

このような細かな疑問が出てきたら、まずは先方から提示されているレギュレーションや、案件の募集要項を読もう。疑問に対する答えが書いてあるかもしれないからだ。「すでに書いてあること」「調べればわかること」を質問するようなライターになってはいけない。

記事の文体には、語尾が「です」「ます」で終わる「です・ます調」と、「だ」「である」で終わる「だ・である調」の2パターンがある。

原稿を書くときにどちらで書けばいいかわからなくても、同じメディアの公開済みの記事を見れば、どちらの文体に統一されているかわかるはずだ。

つまり、きちんと内容を読みなおしたり調べたりすれば、大抵の答えは見つかるのである。

わからないことがあったら、まずは自分で調べる

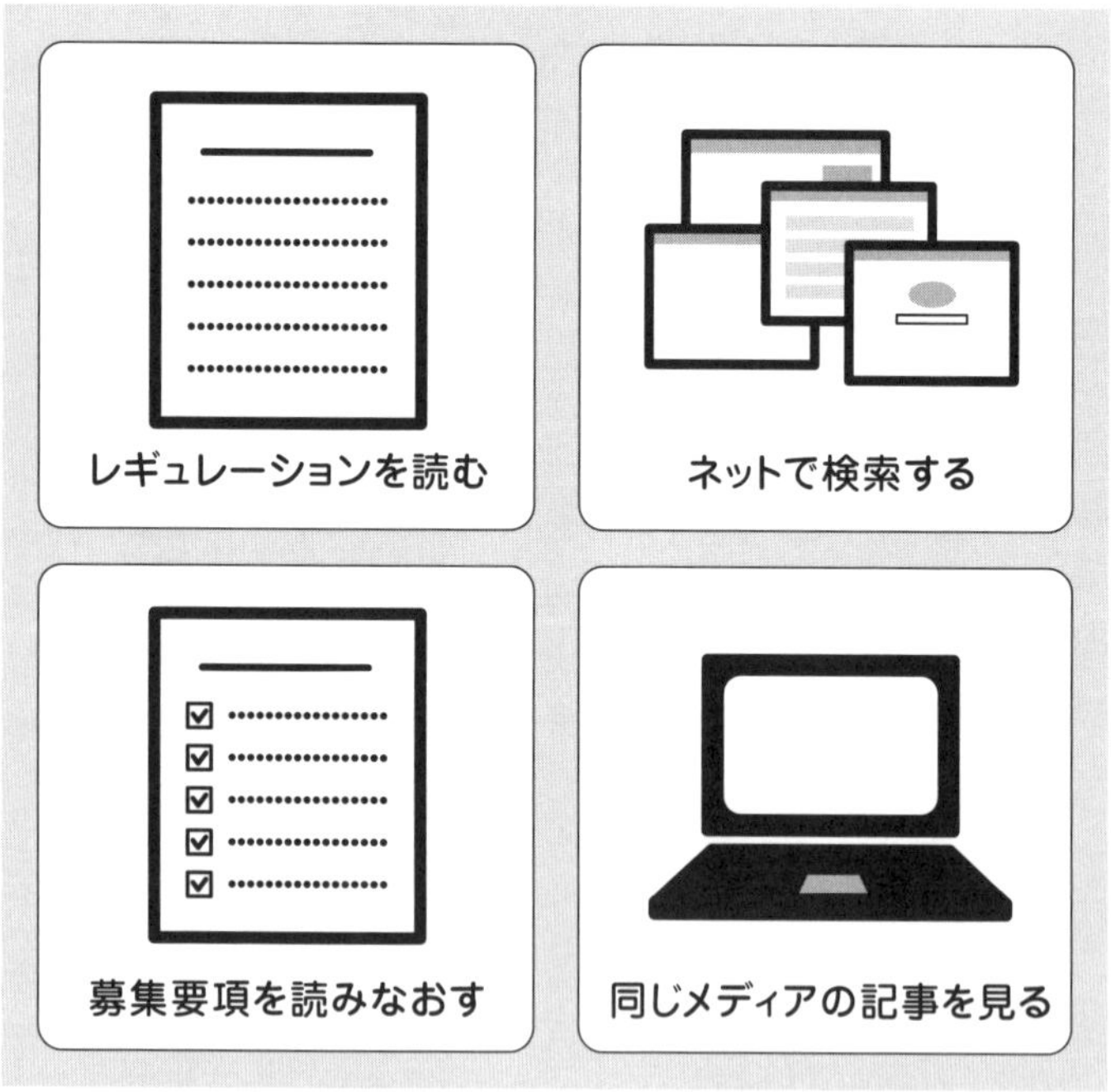

どうしても答えがわからなかったら、わからないことをひとつのメッセージにまとめて質問するのがいいだろう。その際は相手が文章を読みやすいよう、適度に改行することや、箇条書きで記載することを忘れないでほしい。あくまでも大切なのは、相手の時間を奪わないことだ。

相手の手間をかけずにいいものを提出する

仕事を受注するうえでは、いかに相手の手間をかけずにいいものを作れるかが大事である。例えばWebライターの仕事で、記事を書くときに見本として渡されたサンプルの文章に、表記の揺れを見つけたとする。「表記の揺れ」とは、同じ言葉なのに書き方がバラバラな状態のことだ。例えば同じ記事のなかで「みなさん」と「皆さん」と2つの言葉があったら、表記揺れしていることになる。

言うまでもなく、表記は統一したほうがいい。こういうときに、いちいち「サンプルの表記が違います。統一したほうがいいですよね？」と連絡する必要はない。結局誰かが直

渡された資料に
ミスをみつけた

例）表記の揺れ
「みなさん」「皆さん」

誰かが直すような軽微なものは
「直したほうがいいですよね?」と
クライアントに連絡しなくてもOK

「直しておきました!」と
一言そえて原稿を出す

↓

相手に手間をかけさせない意識を持つ

すのだから、自分で統一したうえで、「表記を統一しました」と一言そえて原稿を出せばいいのだ。

クライアントは「放っておいてもいいものを作ってくれる人」を重宝する。 もちろん相手の売り上げにかかわることや、大きく方針が変わるようなことがあれば意思疎通を取るべきだ。しかし、軽微なものに関しては、個人の裁量で決めてしまっても問題ないケースが多いと覚えておこう。

相手のアクション数を減らす

コミュニケーションひとつ取っても、相手に手間をかけさせない意識があるかどうかは如実に表れる。例えばWebライターが記事を修正して、クライアントに再提出するときに、メッセージに新しい記事を添付したとする。すると相手は、記事をダウンロードする→記事を開く→修正した箇所を探す→チェックすると、4つのステップを踏まなくてはいけない。

相手の時間を奪わないライターなら、修正した箇所をスクリーンショットに撮ってメッ

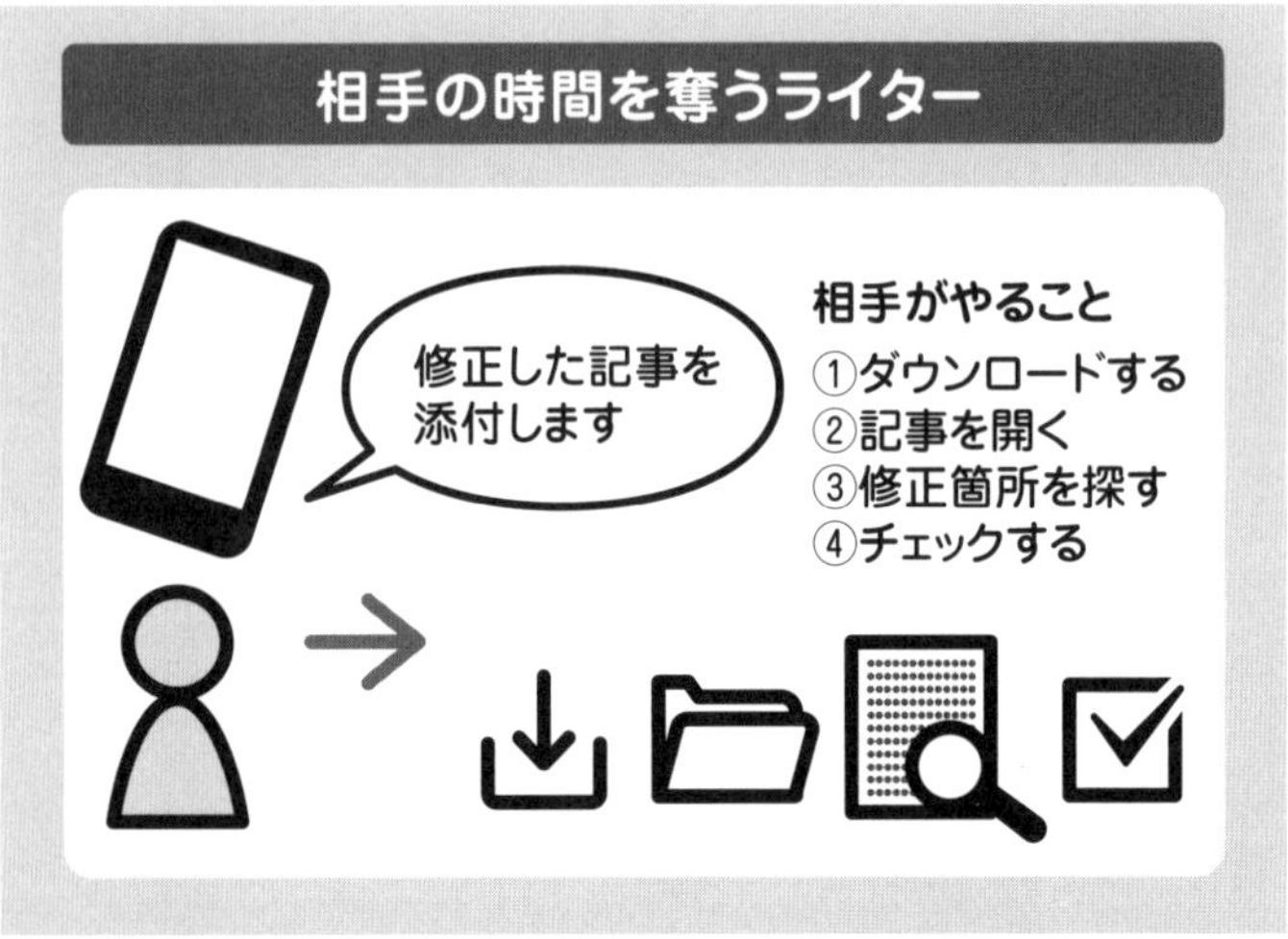
相手の時間を奪うライター
修正した記事を
添付します
相手がやること
①ダウンロードする
②記事を開く
③修正箇所を探す
④チェックする

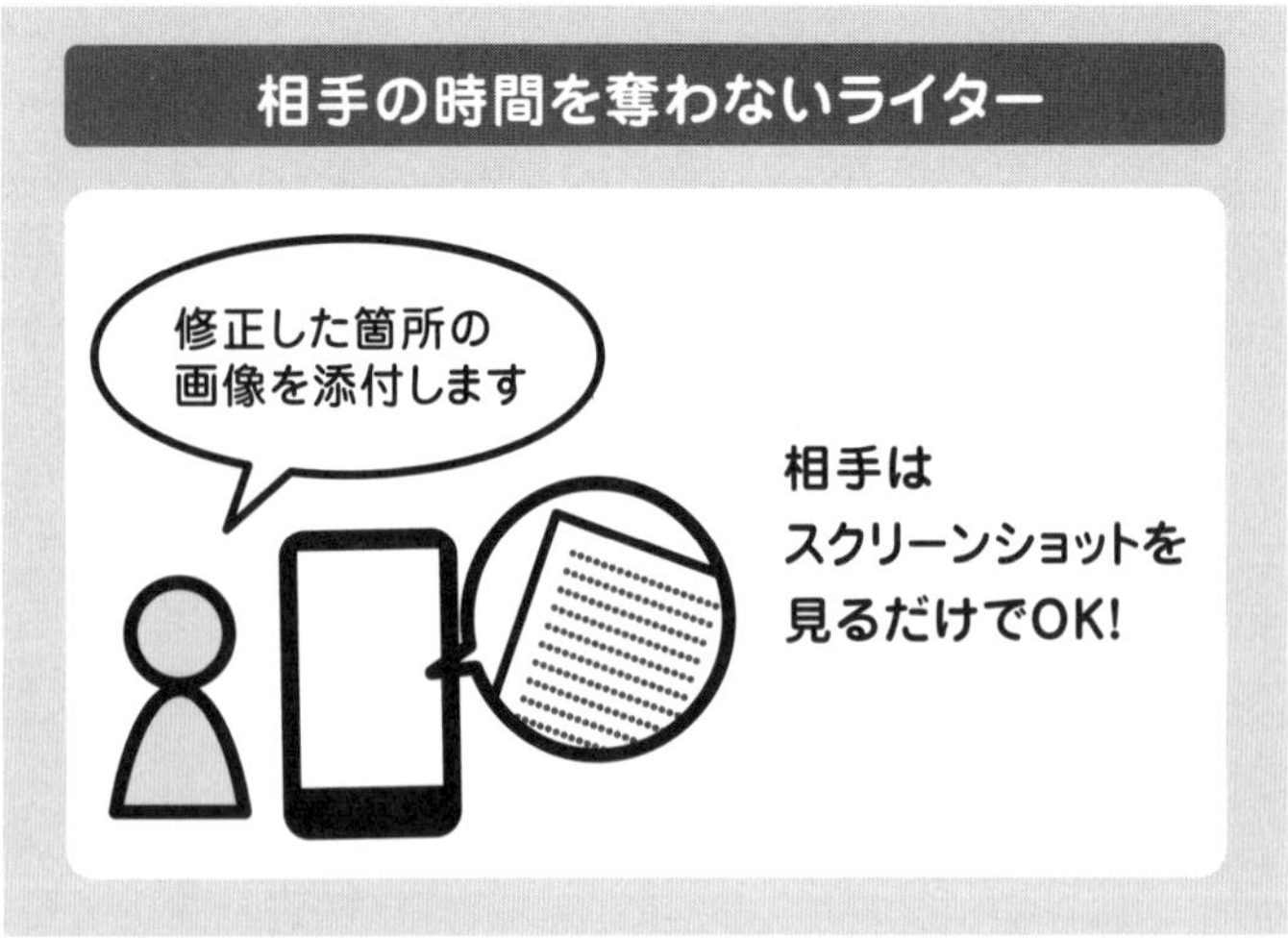
相手の時間を奪わないライター
修正した箇所の
画像を添付します
相手は
スクリーンショットを
見るだけでOK!

セージに添付する。こうすれば、相手は「スクリーンショットを見る」という、ひとつのステップだけで修正箇所をチェックできる。日々のコミュニケーションにおいても、このように相手のアクション数を減らす意識を持つことが大切だ。

繰り返しになるが、いかに質の高い記事が書けて、納品するスピードが速くても、ソフトスキルが身についていなければ、仕事を受け続けるのは難しい。相手に手間をかけさせない意識を持ちながら、「放っておかれてもいいものを作り上げる作業者」になることを心がけよう。

❸案件を獲得する

市場価値の高いスキルを学んだら、実際の案件を獲得して仕事をする。Webライターなら X を使って「#ライター募集」と検索して、ヒットした仕事募集に応募する。

もしくは、受注者と発注者をつなげるクラウドソーシングサービスを使うのもひとつの手段だ。大手サービスなら「ランサーズ」や「クラウドワークス」の2つが代表的である。

クラウドソーシングには、記事を執筆するライティングの案件募集がある。このような案件を探して、できそうなものにどんどん応募していく。

案件を獲得するときのポイントは、**正しい方向性で進められているか検証すること**だ。せっかく仕事を始めても、方向性を間違えると案件を受注できない。仮に受注できたとしても、継続につながらず一向に稼げるようにならないだろう。検証するポイントは「アプローチ数」「継続率」「単価」の3つである。

①アプローチ数(営業数)

アプローチ数とは、簡単にいうと営業した数のことだ。以前「月10件営業しましたが、なかなか受注できずなんの成果もあげられませんでした」という相談を受けたことがある。月10件だけでは成果が出なくて当然だ。初心者のうちはなかなか仕事を受注できないので、とにかく数を打つ必要がある。「月10件も営業すれば仕事を受注できるだろう」という考えを根底から変えなくてはいけない。

ひたすらに量をこなして、そこから成功したパターンと、失敗したパターンを検証していく。これが初心者の戦略だ。

アプローチ数の目安は、月あたり100件を目標にすれば十分だろう。Xやクラウドソーシングを使ってどんどんライティングの仕事に応募するのだ。

仮に仕事を受注できたら、その理由を必ず分析しよう。提案文の内容が評価されたのか。略歴がポイントになったのか。はたまた面談したときの印象がよかったのか。

そして失注した案件についても同様に、なぜダメだったのか理由を分析する。コピペのような提案文を送ったからダメだったのか。実績が不十分だったのか。面談でうまくコミュニケーションが取れなかったからなのか。

仮説と検証を繰り返しながらアプローチを続ければ、100件営業する前に仕事を受注できるようになるはずだ。仕事を受注できるようになったらいったん営業をやめて、基礎スキルとソフトスキルを磨きながら作業を進めればいい。

仮説と検証を繰り返す

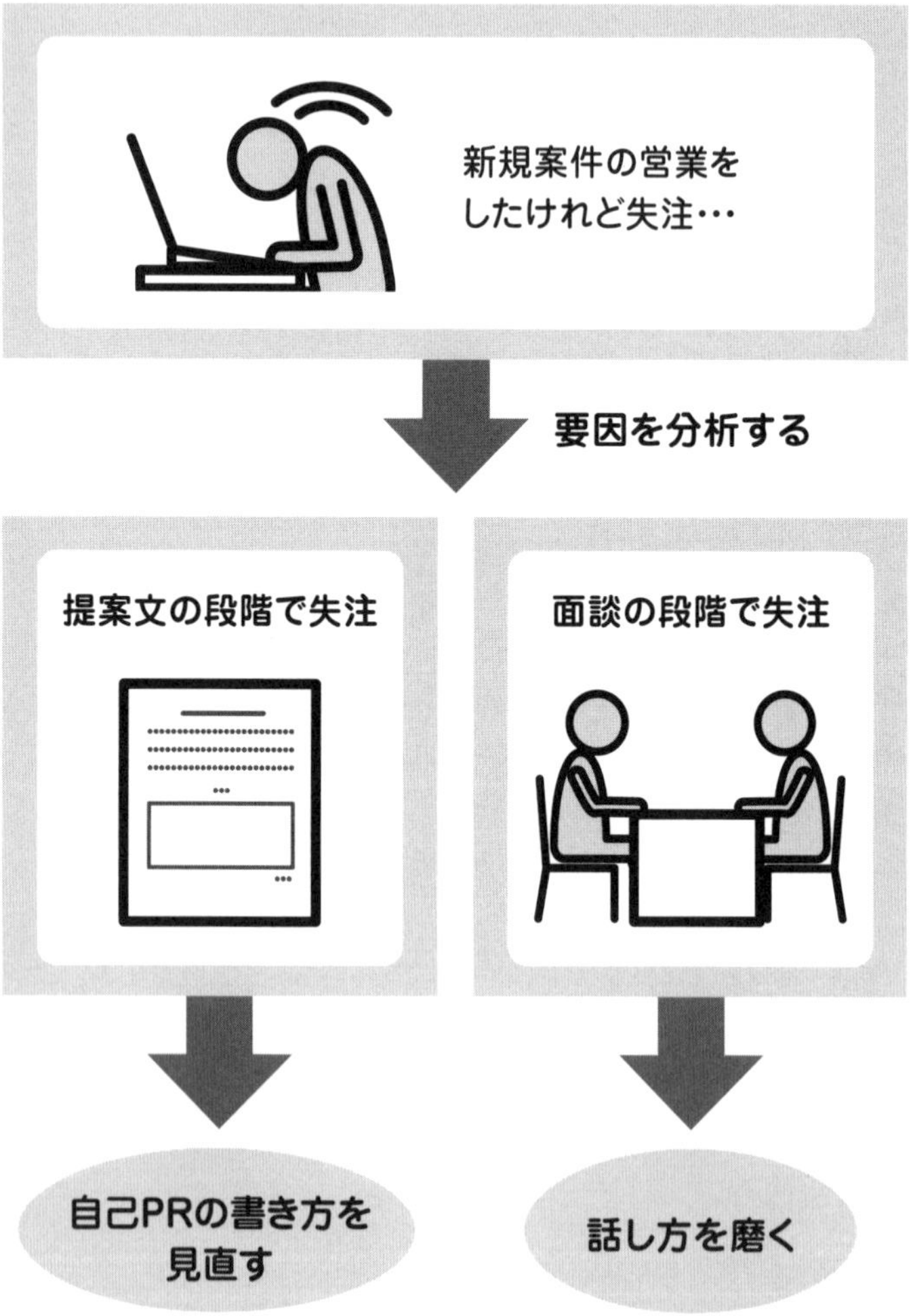
新規案件の営業を
したけれど失注…
要因を分析する
提案文の段階で失注
面談の段階で失注
自己PRの書き方を
見直す
話し方を磨く

このように成功したパターン、失敗したパターンの違いを自分なりに可視化して、成功する要素を見つけていく。この他にも検証するポイントを2つ紹介するが、初心者にとってもっとも大切なのは「アプローチ数」である。**どれだけ数を打って仮説検証できるかが、成果をあげる鍵になるといっても過言ではない。**

②継続率

継続率は、仕事を途切れることなく受注できているかを見る指標である。案件が立て続けにあれば売り上げアップにつながるので、しっかり検証しておきたいポイントだ。

例えばWebライターの仕事を受注できるようになった後は、全体の10〜20％の案件を継続できたら十分だろう。ここでいう「継続」とは、案件がひとつ終わっても、同じクライアントから次の仕事をもらえる状態のことだ。

もし継続率が低いのなら、要因を分析して改善する必要がある。発注がなくなる要因は

「基礎スキル不足」「ソフトスキル不足」のどちらかであるケースが多い。Webライターの例に置き換えて、それぞれのパターンを見てみよう。

ひとつは基礎スキル不足。例えば、納品した記事にいくつも赤字の修正が入る。クライアントから記事の内容を褒められることがない。このような状態が続き、ある日「次の案件の情報が入ったらお声がけします」と言われ、1か月たっても2か月たっても連絡がない。こうしたケースでは、Webライターの文章力が不十分だと考えられる。再度教材を読み込んでライティングスキルを勉強しなおそう。

もうひとつはソフトスキル不足だ。例えば「丁寧な仕事をしよう」と思って、細かいことを確認したり、何回も質問をしたりするようなWebライターがいる。しかし、「丁寧な仕事」の意味を履き違えてはならない。

丁寧な仕事というのは、不必要なコミュニケーションを何回も取ることではない。必要最低限のやり取りで相手の意図をくみ取る。レギュレーションを読み込み、ケアレスミスをしない。このような**細かな作業を積み上げて、相手が放っておいてもいいものを**

作るのが「丁寧な仕事」である。

記事を修正されるわけではないのに、仕事の発注が続かないときは、ソフトスキルが不足している可能性がある。このような場合は、自分のコミュニケーションの取り方を客観的に分析してみよう。

基礎スキルの不足であっても、ソフトスキルの不足であっても、クライアントの対応は大抵同じで、ライターの改善点を直接フィードバックしてくれるとは限らない。

大半のクライアントは「あなたのここがダメだから継続依頼をやめます」とは言わない。もらえるのは「今回もありがとうございました。また連絡します」の一言だけで、それ以降連絡がくることはない。だから、自分で原因を分析して改善していく姿勢が必要だ。

③単価

単価は言わずもがな、クライアントから支払われる報酬額のことである。Ｗｅｂライターの仕事なら、記事単価や文字単価に置き換えて考えるとわかりやすいだろう。単価はもちろん高いほうがいいが、初心者のうちはいきなり高単価の案件を獲得するのは難しい。したがって、稼ぎたい金額から単価を計算して、目標単価を設定する。

例えば「Ｗｅｂライターで月20万稼ぎたい」と思っているのに、文字単価０・５円の仕事しか受けていなかったら……月あたり40万文字書かなくてはいけない。１時間に１０００文字書けるとしても、４００時間かかってしまう。

会社員をしながら副業で４００時間捻出するのは不可能に近い。限られた時間内で成果をあげるためには、単価を上げるしかない。

目標単価の設定

1日4時間×1000文字 = 4000文字/日

4000文字×20日 = 8万文字/月

目標の20万 ÷ 8万 = 2.5円(←必要な文字単価)

Webライターの仕事にかけられる1日の稼働が4時間で、1時間あたり1000文字書けるなら、1日あたり4000文字生産できることになる。1か月のうち20日間副業するとして、月あたりの生産文字数は8万文字。目標金額が月20万円なら、文字単価2・5円あれば到達できる計算だ。

このように、**必要な文字単価は、自分の稼働時間と作業量から逆算すればすぐにわかる。**目標金額に到達するためには、いくらあれば十分なのか計算し、単価を高める努力をしよう。

この段階ではスキルを身につけることが大切なので、あえて目安となる単価は提示しない。ただあまりにも単価が低すぎると仕事を続けるのが苦しくなってしまうだろう。したがって、初心者のときは最低でも文字単価1円、もしくはそれ以上のラインを目指して仕事に取り組むのをおすすめする。

僕がブログを始めたのは、金融系企業のシステム部門にいたときだ。インフラ担当だったのだが、インフラにかかわらずＩＴや機械、Ｗｅｂ関連など幅広い依頼がきていた。本来ならインフラ部門が担当しない仕事もたくさんあったが、人員が不足しているなかでそんなことは言っていられない。僕は社長や役員に同行して、商談に立ち会う機会が増えていった。

そんなある日「貴社のメディアに広告を貼ってほしい」と、アフィリエイト会社の担当者が商談に来た。自社が運営するサイトに広告を貼り、ユーザーがクリックすると収益が発生するらしい。

Ｗｅｂメディアの収益化の仕組みを知った僕はこう思った。「同じことをやれば、個人でも収入を得られるのでは？」。これがブログを立ち上げたきっかけである。

ブログを運営して少したったとき「3円」の収益が生まれた。たったの3円ぽっちだが、生まれて初めて自分がビジネスで稼いだお金だ。このとき、僕のなかで「お金」に対する価値観が変わり始めた。

お金は「会社から与えられるもの」ではない。「自分で作り出したものへの対価」だ。この感覚を味わった僕は「会社をやめて自由に生きる」と決め、ブログで稼ぐ世界にのめり込んでいった。

記事を量産しまくった副業ブログ時代

最初に書いたのは筋トレとバレーボールのブログだ。もちろん、記事の作り方やSEO（Search Engine Optimizationの略。Googleに記事を上位表示させる施策）の知識はゼロ。ただ、筋トレやバレーボールを幼少期からずっと続けていたので、持っているノウハウをどんどん記事に落とし込んでいった。

睡眠時間は1日あたり4時間。起きている時間のほとんどをブログに費やした。1年間で書いた記事は300記事以上だった。すると、なんとPV数（ページビュー数。ブログのページの閲覧数）が月10万回を超えたのだ。

ただ、同時に「おや？」と疑問に思った。10万ＰＶという数字をたたき出したのに、売り上げはたったの数万円。ＰＶ数が増えたわりには、なかなか売り上げは伸びなかった。ブログに詳しい人ならおわかりだろうが、当時の僕のブログの収益は、Ｇｏｏｇｌｅアドセンスという広告収入がメインだった。ブログで収益を上げるためには、広告収入ではなく高単価商品を売るのが王道だ。

しかし知識の浅かった僕に「もっと高単価の商品を売ろう」「公開済みの記事を改善しよう」という考えは思い浮かばなかった。体育会系の思考で「もっと売り上げを伸ばすためには、今までの倍の記事を量産すればいいんだ！」と考えたのである。

とはいえ、倍の量の記事を作るのなら一人では手が足りない。そこで、職場で隣に座っていた後輩に声をかけた。ブログの仕組みや現状の売り上げなどを説明したら、快く協力してくれた。彼は現在、僕の会社で右腕として活躍してくれている「げんさん」である。

げんさんを誘ったのと同じ頃、僕はＷｅｂライターの仕事を始めた。始めた理由は、ノウハウが欲しかったからだ。当時の僕のブログはすべて自己流で作られていて、誰からもアドバイスをもらった経験がなかった。さっそく、クラウドソーシングや人脈を活用して仕事を受注した。仕事を始めると、予想通りクライアントからフィードバックや添削をもらえるようになり、記事の書き方やメディアの作り方に関するノウハウもたまっていった。

Webライターの仕事をしているときに印象に残ったのが、同じプロジェクトにいたライターAさんのことだ。Aさんの記事はクライアントから評価されていて、僕の目から見てもレベルが高かった。しかし、ある日Aさんはプロジェクトから外されてしまった。**記事の質が高いのに、なぜか消えていくライターがいる……。**そのようなことが起こる理由がわからなかった。

後日ディレクターと話す機会があったので、それとなく理由を聞いてみた。すると「質問の連絡が多すぎるので、継続発注をやめた」とのことだった。それだけやり取りに時間がかかっていたのだろう。いくら記事の質が高くても、ソフトスキルが不十分だと継続発注はもらえない。まさに「相手の時間を奪わないコミュニケーション術」の大切さを実感した出来事だった。

ブログとWebライターの仕事で月100万円を達成

その後、とある著名なブロガーからアドバイスをいただく機会があった。アドバイスの内容は大きく分けて3つある。1つ目はブログの数を絞ること。当時の僕はガジェット、副業、バレーボール、筋トレの4ブログを運営していたが、ガジェットとバレーボールの2つに絞って記事を統合した。数を絞ることで、サイトが成長しやすくなるからだ。

2つ目は、1PVあたりの単価を上げること。当時は、Googleアドセンスという広告のクリック収入が主な収益源だった。それだけではなく、具体的な商品を紹介する「物販記事」を増やすといい、とアドバイスをもらった。

3つ目は、YouTubeを始めること。これからはGoogle検索で読者が流入するSEOだけではなく、SNSやYouTubeを使ってブログのアクセス数を増やす必要がある、とアドバイスをもらった。バレーボールのブログは実際に動画があったほうがわかりやすいので、筋トレ方法や上達のコツなどを動画で配信することにした。

これらのアドバイスをすべて実行したら、収益は2倍に増加。アドバイスをもらう以前のブログ収益は約6万円だったが、アドバイスを実行した結果、倍の12万円になった。この出来事は、僕のなかで大きな転機となった。**「嫌だと思うことこそ、やる価値がある」と学んだからだ。**

正直、YouTubeを始めるのはハードルが高かった。動画を撮るなんて、正直面倒くさいしやりたくない。だが、アドバイスの通りYouTubeを始めたら一気にブログの売り上げが伸びた。他の人がやらないような大変なこと、面倒くさいことをやれば、成果が出る。

同時に「自分の上にいる人からのアドバイスは、思考停止で実行したほうがいい」ということも学んだ。**さらに上にいきたいのなら、高みにいる人からアドバイスをもらう。そして内容をすべて実行する。**シンプルなことを続けるだけで成果は出るのだ。これは今も僕が大事にしている考え方だ。

話を戻そう。ブログと並行して取り組んでいたWebライターの仕事では、大きな収益を得られた。原稿料がない代わりに、執筆した記事から収益が発生したら、報酬が支払われる案件を受注した。そのメディアでは単価が高い商品を扱っていたことと、担当した記事の収益性が高かったこともあり、僕はこの仕事で月100万円以上の収益を得た。

この調子で3年ほどWebライターの活動を続けて、何百もの記事を執筆した。しかし、僕は内心「Webライターの仕事で仕組みを作るのは難しい」と思っていた。何より、自分がやりたいことではなかった。経営者だった父が、毎日のようにせわしなく働いている様子を見て「社長でありながら自由じゃない」と薄々感じていたからかもしれない。Webライターは手を動かし続けないと収益が生まれない。一方ブログなら、書いた記事が収益を生み続けてくれる。こうして、僕はWebライターの仕事の比重を徐々に減らし、ブロガーに戻った。そこから、自分でスクールを作って事業を始めることになるのだが、自分が経営者になるとは、まだこのときは考えたこともなかった。

HOW TO EARN

¥500,000,000

応用スキルを学んで販売する

より高い単価の案件をこなすには

基礎スキルを身につけて安定した取引ができるようになったら、次は応用スキルを学ぶ段階だ。**応用スキルとは、一言でいうと「クライアントの売り上げを伸ばすスキル」である。**後ほど詳しく説明するが、例えばリストマーケティングは応用スキルのひとつである。この他にもSEOコンサルタントや広告運用なども、売り上げに直結しやすいスキルと言えるだろう。

なぜ応用スキルを学ぶのかというと、より高い単価の案件をこなすためだ。ずっとWebライターとして記事を書いているだけでは、単価の上限に限界がある。ライターの単価は文字単価で置き換えられることが多いが、高くても10円前後の案件が大半だ。もちろん文字単価20円などの記事を書くライターもいるが、僕の周りを見てもごく一部の人しかいない。つまり、文字単価の仕事だけで億を稼ぐのは不可能に近いのだ。

より高い単価の仕事をこなすためには、クライアントの売り上げに貢献する必要がある。Webライターが書く記事が売り上げにダイレクトに結びつくかというと、大半の記事はそうではない。もちろんセールス記事なら商品の販売につながり売り上げになるが、Webライターが書くほとんどの記事は悩みを解決するものだ。したがって、**ただ文字を書くだけのライターを脱出して、売り上げを生み出す人材にならなくてはいけない。**

応用スキルを販売しやすい職種

なぜ単価に上限があるのにWebライターの仕事をそもそも選んだかというと、応用スキルのかけ合わせがしやすいからだ。ライティングという基礎スキルは、どこでも通用する武器になる。さらにWebライターとしてクライアントと関係を構築できれば、応用スキルの販売がしやすくなる。僕はさまざまなWeb系の職種で活躍する人たちを見てきたが、Webライターはもっとも応用スキルを販売しやすい職種だと思っている。

本節では**応用スキルの例として、リストマーケティングを使ったクロスセル（クライアントに対して別の商品を提案し、購入を検討してもらうこと）の手法を紹介する。**具体的な営業トークの仕方や、リストマーケティングのメリットについて解説している。本節でお伝えする内容を実践すれば、売り上げはうなぎのぼりに上がっていくだろう。

時給を上げる

応用スキルを学ぶことは、時給を上げることと同義である。まずは、クライアントの売り上げを伸ばす方法を理解しよう。例えば、**Webライターの仕事と相性がいいのはリストマーケティングだ。**リストマーケティングとは、LINE公式アカウントやメルマガを活用して顧客の情報を獲得し、商品の販売促進をする手法である。

例えば美容院のWebメディアなら、メディアを経由してLINE公式アカウントに登録を促す。そして髪質や好みのヘアケア商品などのアンケートを取って、それぞれのユーザーに適したおすすめのトリートメントを販売する。このような販売動線を作ると、クライアントの売り上げは飛躍的に上がる。なぜなら、万人に向けたWebメディア上で販売するよりも「あなたにおすすめの商品です」と、ユーザー一人一人に向けた提案ができるからだ。

リストマーケティングの例

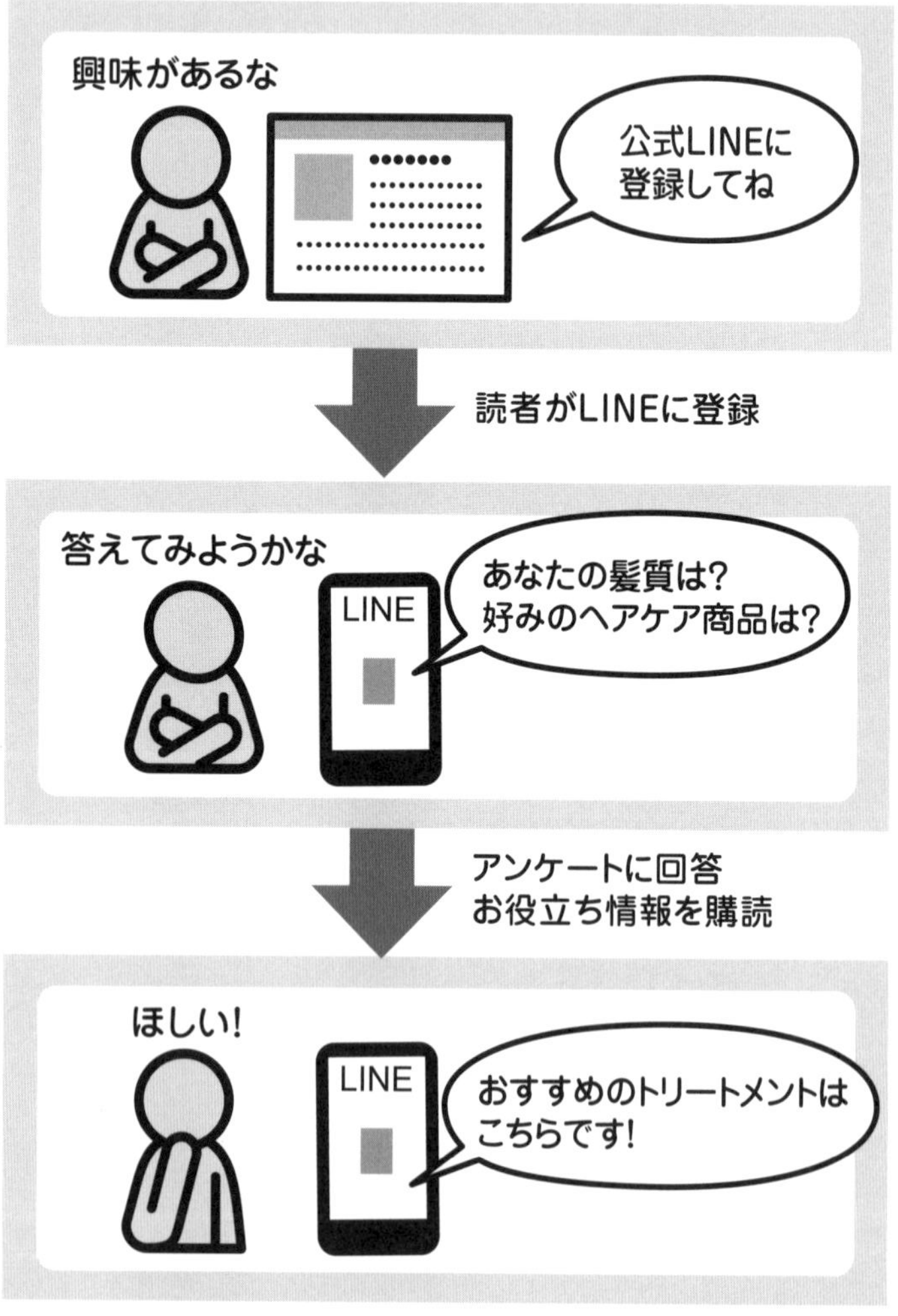

さらに、LINE公式アカウントに登録している時点で興味・関心が高い状態なので、購買意欲も高いと言えるだろう。そのなかで「アンケートに回答する」というステップを踏んだ人にセールスをするのは、成約率を高める戦略だ。

美容院はあくまでひとつの事例であり、法人個人、業界問わずリストマーケティングは役に立つ。僕もLINE公式アカウントを使って数十万円単位の商品をいくつも売ってきた。ホームページや店頭では買わないような価格帯の商品でも、リストマーケティングを使えば売ることが可能だ。

このように、**リスト（顧客情報）の増やし方や成約率の上げ方、商品の売り方を知れば、「リストマーケティング」という応用スキルのプロになれる。**リストマーケティングは直接売り上げを伸ばす仕組みなので、Webライターの仕事と比べると単価は高くなる。

リストマーケティングの案件を受注するためには、販路を広げてクライアントに直接営業できるようになるのがベストだ。例えばクラウドソーシングだけでなく、SNSを使って営業するのもいいだろう。もしくは、既存の取引があるクライアントにクロスセルの提案をするのもひとつの手段だ。

リストマーケティングの提案とは、例えばWebメディアを運営しているクライアントに対して、「LINE公式アカウントを作って御社の商品を販売しませんか?」と提案するということだ。Webメディアを持っているがメルマガやLINE公式アカウントがない企業や個人を見つけて、どんどん営業していくのがいいだろう。

とはいえ「LINE公式アカウントの作り方なんてわからない」という方もいるかもしれない。この段階では、リストマーケティングの概念だけ理解できていれば問題ない。自分でLINEを構築できるようになったらもちろん単価は上がる。しかし、仕組みだけ理解して、実際の作業は他の人に外注しても問題ない。大切なのは仕組みを作ってクライアントの売り上げを伸ばし、自分の時給を上げることだ。

リストマーケティングは魔法の箱

リストマーケティングについてもう少し詳しい仕組みをお伝えする。ここではライター、ブロガー、リストマーケティングの３つを比較してみよう。それぞれの売り上げの仕組みは以下のような公式になる。

ライター：労働時間×単価
ブロガー：ＰＶ数×単価×成約率
リストマーケティング：リスト数×単価×成約率

まずライターの売り上げの公式は、労働時間×単価。例えば文字単価１円のライターが、１日７時間の労働で７０００文字執筆できれば、日給は７０００円になる。ただし、熱を出したり家庭のトラブルがあったりして労働時間が３時間になったら、執筆できる文字数も減るので日給は３０００円だ。ライターの仕事は手を動かし続けなければ売り上げにならない。時間という点で見ると、ライターは「時間効率が悪い」と言っていいだろう。

次にブロガーの売り上げの公式はＰＶ数×単価×成約率である。ブロガーの場合は、記事が収益を生んでくれるので、ライターのように手を動かし続けなくても売り上げが発生する。それぞれの数字を改善すれば月数百万の収益も目指せる。

ただし、ブログは数字の変動が大きいのがネックだ。ブログでは「アフィリエイト」という仕組みを使うことが多い。ブログで商品やサービスを訴求して、リンク経由で商品が購入されたり、資料請求されたりしたら成果報酬が発生する仕組みだ。

しかしこのアフィリエイトは、運営元や広告主の都合により訴求できなくなることもある。広告が使えなくなり、収入が一気にゼロになってしまうケースも考えられるのだ。

さらに、ブログは単価の上限がある程度決まっている。アフィリエイトで商品を売って、紹介手数料として支払われるのは商品単価の5〜10％程度である。**極端な話、１００万円の商品を売っても5万円しか自分に支払われないのだ。**同じ１００万円の商品を売るのなら、リストマーケティングを使って自分の商品を売ってしまうほうが売り上げ額が高いのは明白だろう。ブログは資産性があるのだが、時間効率の点でいうと「普通レベル」である。

ライターやブログと比べて、リストマーケティングは時間効率がもっともいい。**単価がコントロールしやすく、いったん仕組みさえ作ってしまえば商品が売れ続ける。**リストマーケティングの公式は、リスト数×単価×成約率。リスト数はメルマガやLINE公式アカウントに登録している顧客の数。メルマガやLINE公式アカウントなら、5〜10万円ほどの価格帯の商品でも売れやすい。個別面談やセミナーといったアクションを挟めば、数十万円の商品も売れる。

ブログはGoogleのコアアップデートの影響を受けるので、極端な話だが売り上げがゼロになる可能性もある。一方、リストマーケティングならLINE公式アカウントやメルマガを並行して使えば、ひとつのアカウントが凍結されても残されたほうを使えばいい。アカウントを分散させてリスクヘッジできるのだ。このような観点から見ても、リストマーケティングは優れた手法と言えるだろう。

クライアントに応用スキルを販売する

応用スキルを学んだら、次はクライアントに販売する段階だ。例えばWebメディアを持っているけれど、LINE公式アカウントやメルマガを活用していない人に対して、リストマーケティングの提案をする。相手は新規のクライアントでも既存のクライアントでも、どちらでも問題ない。わかりやすく流れをお伝えするために、ここではWebライターが既存のクライアントにリストマーケティングを提案するときの進め方を紹介する。

既存クライアントなら、取引をして信頼関係があるので提案が通りやすい。ただし、信頼関係があるからといって「メルマガを作りませんか?」と提案するだけでは不十分だ。

「ストーリー営業」をする

営業トークの内容によって受注率は大きく上下する。**営業トークのコツを押さえれば、提示価格100万円の高単価な商品でも受注できるようになる。**そのためには、きちんと営業の手順を踏む必要がある。成約率を高めるために、僕が社員に教えている「ストーリー営業」についてお伝えしよう。４つのステップがあり、それらは以下の通りだ。

❶クライアントの現状を把握する
❷クライアントに結果の未来を見せる
❸成功事例を提示する
❹解決策を提案する

❶クライアントの現状を把握する

まずはクライアントの現状を把握する。例えばＷｅｂメディアとメルマガを持っている既存クライアントに対して、リストマーケティングのクロスセル提案をする。この場合は、現在の成約率や既存のリスト数、毎月の新規リスト数を確認する。さらに、価格に対する成約率も聞いておこう。すでに取引していて関係がある相手なら、定例の場などで雑談しながらヒアリングしやすいだろう。

ストーリー営業　4つのステップ

① クライアントの現状を把握する

メルマガや公式LINEはあるか?
あるのならリスト数は?　成約率は?
必要に応じてヒアリングする

② クライアントに結果の未来を見せる

「公式LINEを導入して売り上げが
倍になったらどうですか?」
YESを引き出す

③ 成功事例を提示する

同じ業界の成功事例や
似たビジネスモデルの成功事例を出す

④ 解決策を提案する

「公式LINEを導入、運用すれば
売り上げ向上が見込めます」

繰り返しになるが、リストマーケティングの公式は「リスト数×単価×成約率」だ。営業の場では、このなかでどれを改善するべきなのか見極める必要がある。そのためにはまず現状を把握しよう。

❷クライアントに結果の未来を見せる

次にクライアントに結果の未来を見せる。このときの営業トークのポイントは**「相手の言葉に乗ること」「YESを引き出すこと」**の2つだ。例えば以下のようなイメージだ。

自分「現在の御社のメルマガリスト数は300人ですね。この数字についてどう思いますか？」

クライアント「目標値よりは低いですね。もう少し伸ばせたらいいなと思います」

自分「目標より低いんですね。現在の工数を維持したまま、リスト数を増やして売り上げが倍になったらどうですか？」

クライアント「そうなったら理想的ですね」

このように、まずは現状の数値についてどう思っているのか聞く。「低い」という言葉が返ってきたのなら、同じ言葉を使って次に未来を見せる。「現在の工数を維持したまま、リスト数を増やして売り上げが倍になる」という状態になったら、嫌なクライアントはいないだろう。**答えが簡単に予想できるのにあえて質問をするのは、相手から〝YES〟を引き出すためだ。**

YESを繰り返した相手は、次の質問にもYESと答えたくなる、という心理学の法則（イエスセット話法）がある。「こんな状態になったら嬉しいですよね？」と、いい未来を見せてYESを引き出せば、それだけ成約率が高まっていく。

❸成功事例を提示する

未来を見せたあとは事例を提示する。ここでいう事例とは、同じ業界やクライアントと似たビジネスモデルの成功事例である。例えば「御社と似た美容系のメディアで、メルマガを導入して売り上げが倍以上になったケースがあります」といった内容だ。自分の仕事経験から話せる事例があれば理想的だが、ない場合は、仕事仲間や他のクライアントの事例を持ってくるのがいいだろう。このような事例を提示すれば、前例があるので導入のハードルが下がりやすくなる。

❹解決策を提案する

最後に解決策を提示する。先ほどの事例を紹介して「御社の場合はこんな施策を打てば効果が出ます」と提案するのだ。**このときのポイントは「やらない」という選択肢を提示しないことだ。**「メルマガの成約率を上げる施策を導入しますか？　しませんか？」と聞いた時点で、相手には「導入しない」という選択肢が生まれてしまう。そうではなく、「成約率を5％上げるAプランにしますか？　それとも10％上げるBプランにしますか？」と聞く。そうすれば、相手の選択肢はAかBのどちらかになる。

このように、提案からクロージングまで営業トークの言葉選びは非常に重要だ。営業では御用聞きになってはいけないし、価格を先に提示してもいけない。ストーリーに沿って相手の興味を惹《ひ》きつけ、高単価な商品でも購入してもらえるようなトークの仕方を心がけてほしい。

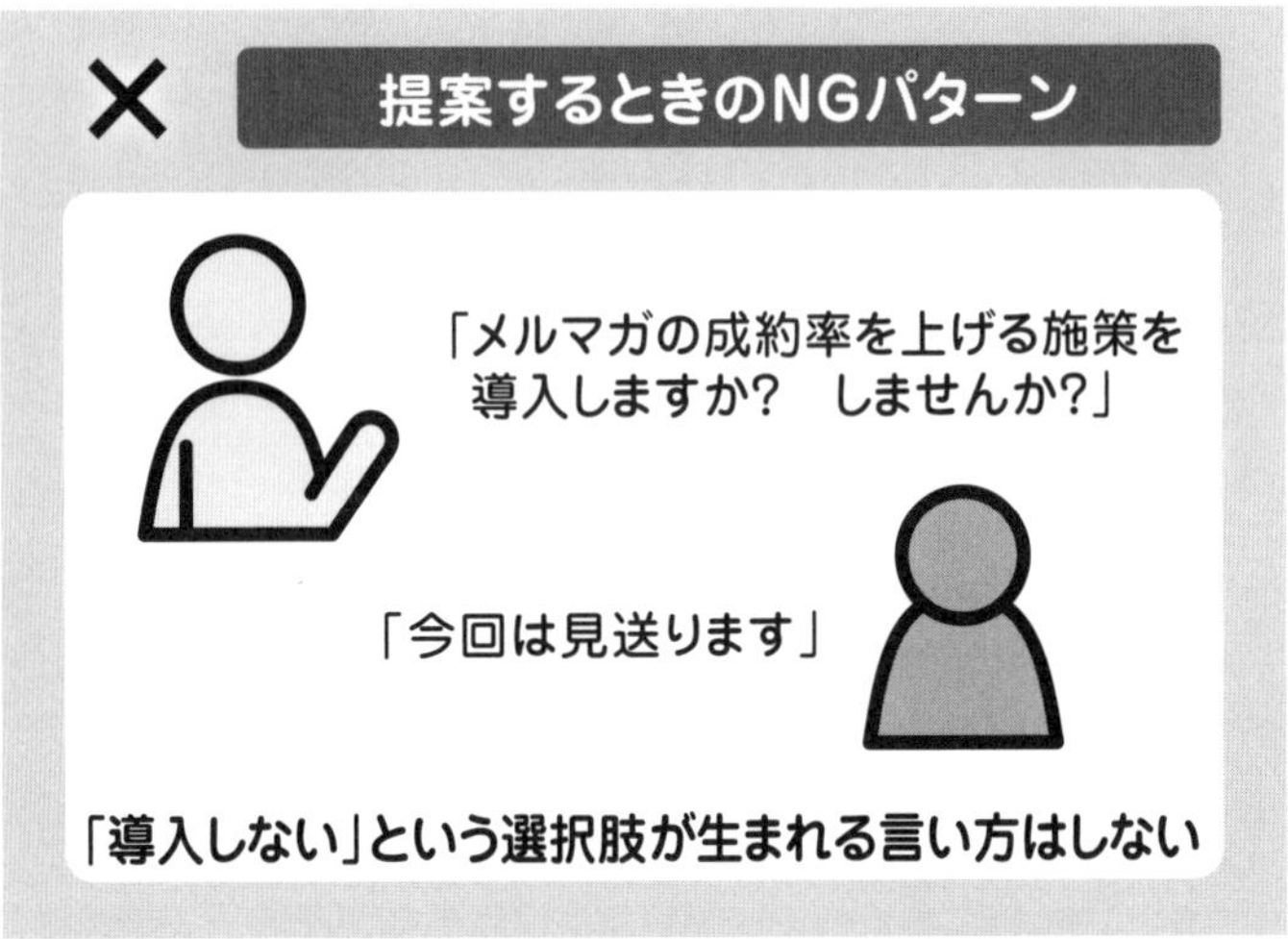
提案するときのNGパターン
「メルマガの成約率を上げる施策を導入しますか？　しませんか？」
「今回は見送ります」
「導入しない」という選択肢が生まれる言い方はしない

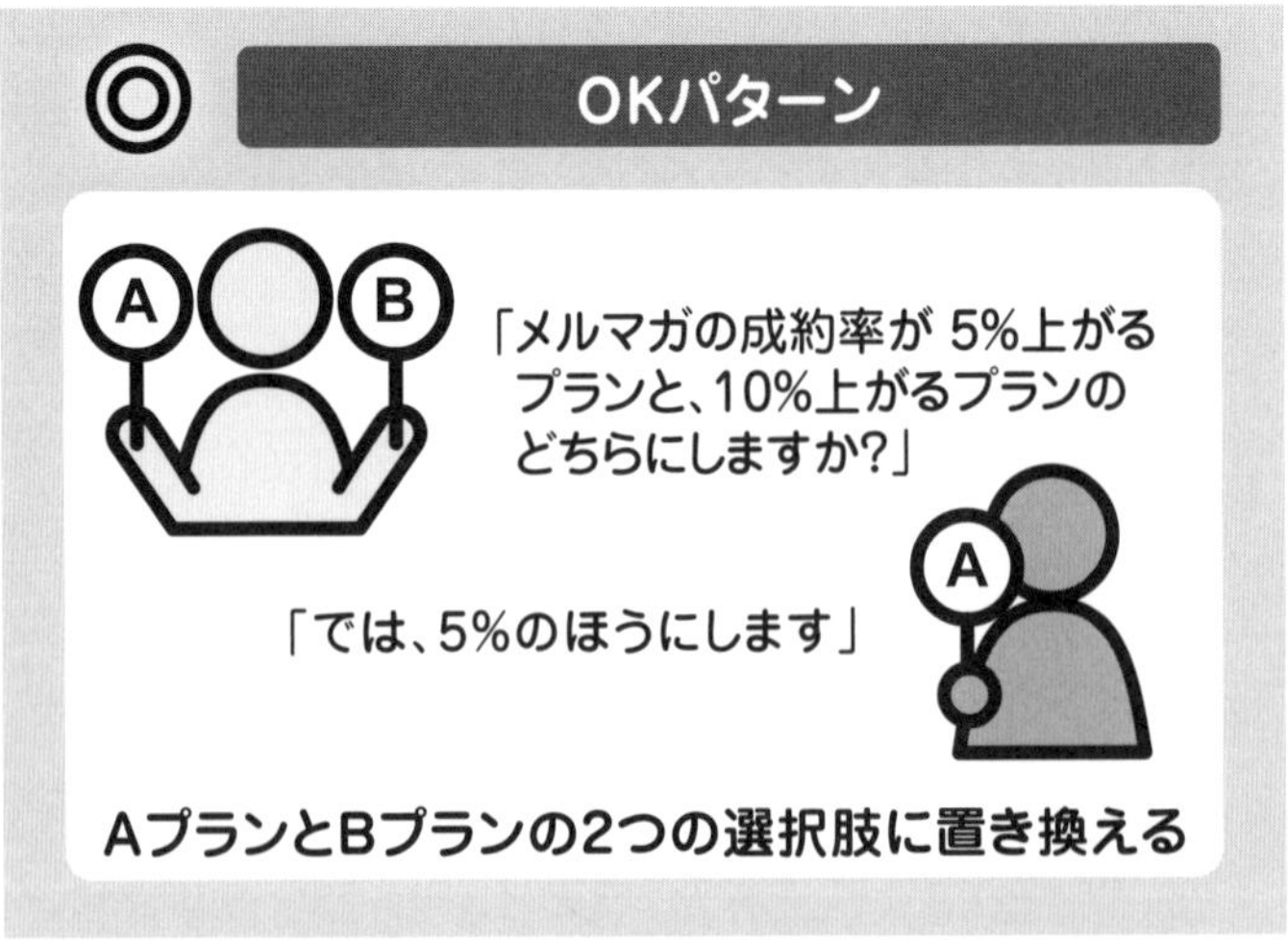
OKパターン
A
B
「メルマガの成約率が 5%上がるプランと、10%上がるプランのどちらにしますか？」
A
「では、5%のほうにします」
AプランとBプランの2つの選択肢に置き換える

ブログとＷｅｂライターの活動だけでは、僕が思い描く人生は手に入らない。仕組みを作らなければ……。とはいっても、何をしたらいいのかわからない。「億を稼ぐ」を目標に掲げて、ブログとＷｅｂライターで副業収入は月１００万を超えるようになった。しかし、それ以上売り上げを伸ばすイメージが当時の僕にはまったくできていなかった。

そんなとき、ＳＮＳ経由でとあるクライアントからＳＥＯのコンサル依頼をもらった。その頃の僕はブログの知識がたまっていたので、ライター以外の仕事も請け負うようになっていた。

ＳＥＯコンサルのプロジェクトを進めるなかで、クライアントから「リストマーケティングを始める」という話を聞いた。当時の僕はリストマーケティングという言葉すら知らなかったが、調べてみると概念はすぐに理解できた（リストマーケティングの詳細はP87などを参照）。どうやら、リストマーケティングを導入すれば売り上げが伸びるらしい。細かな仕組みはまだわからなかったが、取り組んでみる価値はあると思った。だが、まだ知識が十分でないので、実際に仕事を受注してみようと考えた。

試しに、学んだばかりの知識を活用して、別のクライアントにそれらしい提案をしたら、なんと案件を受注できてしまった。僕は概念を理解しているだけでリストマーケティングの仕組みを作る方法を知らなかったので、詳しい人に外注して作業を進めた。この頃から、リストマーケティングの仕事を手掛けていくようになった。

だんだんと知識や経験が身について、他のクライアントにもリストマーケティングの提案をすると、いっきに単価が上がっていった。副業収入は月300万円を超えていたと思う。**クライアントから仕事を受けて成果物を納品する。その流れはWebライターと何ら変わらないのに、1案件あたりの報酬額が桁違いだった。**これは僕にとって「応用スキルを学ぶ大切さ」を知った転機となった。

同時に、「クライアントのリストマーケティングの構築をするだけでなく、自分も同じことをすればいいのでは？」と考えた。そして出来上がったのが、今の「EXTAGE WORKS」の前身である「しかまるWebスクール」。Webスキルを高めて個人で稼ぐ人を増やすための、オンラインスクールだ。

改めてリストマーケティングの仕組みを学んで、僕のなかに2つの衝撃が走った。ひとつは、**仕組みの構築さえできれば、ある程度の売り上げがコンスタントに発生する**ということだ。Ｗｅｂライターの仕事は、作業をやめれば収入がなくなってしまう。ブログは資産性はあるものの、広告主やＧｏｏｇｌｅの都合により数字が変動する。さらにアフィリエイトの紹介料も上限があったので、生み出せる収益に限界を感じていた。だが、リストマーケティングはそんな枷《かせ》を取っ払うような仕組みだった。

例えば、毎月１００人の新規リストに対して30万円の商品を売ると、そのうち平均３人が買ってくれて月90万円になる。もちろん、きちんと条件を整えて適切な売り方をする前提だが、やることをやれば数字が上がっていくという事実を知って安心した。

ではそのために新規のリストをどう獲得するか？　成約率を高めるにはどうしたらいいか？　と考えて、あとは思いついた施策通りに行動するだけだ。売り上げを伸ばす方法は、僕が思った以上にシンプルだった。

期待値通りの売り上げが発生する仕組み

そしてもうひとつ驚いたのは、**リストとは、一度きりで使い切ることのない「魔法の箱」である**ということだ。きちんと価値を提供したうえで顧客のリストを獲得すれば、Aという商品を販売するだけである程度の売り上げが作れる。さらに、時間を置いてBという商品を販売しても再び売り上げになる。

RPG（ロールプレイングゲーム）に例えるなら、リストマーケティングを活用せずにビジネスを展開するのは、なんの武器も持たずに敵と戦っているようなものだ。**しかしリストマーケティングの仕組みがあれば、強い武器を手に入れて戦えるようになったも同然だ。**

それまでの僕にとって稼ぐための活動は、ブログやWebライターがメインだった。Webライターは働けば報酬がもらえるし、ブログはほうっておけば収益が発生する。僕自身が両方を経験したので、どちらの働き方も否定するつもりはない。しかし、5億円を稼ぐのならリストマーケティングは必須だ。いったん魔法の箱を作ってしまえば作業時間や報酬に関係なく、およそ期待値通りの売り上げが発生する。

ブログはほうっておけば収益が発生するので、たしかに魔法の箱の要素はある。しかし、ブログの読者は「人」ではなく「メディア」に集まってくる。僕のブログを読む人は、僕に興味があるのではなく情報に惹かれているケースが多い。つまり、ブログの読者にメルマガ登録してもらったところで、商品が売れるかどうかはわからないのだ。

Webライターやブログに加えて、リストマーケティングの仕組みを知って僕のビジネスは大きく成長した。個別サポートがスクールになり、今ではスクールの受講生が仕事を請け負うようになり、会社を中心に小さな経済圏ができている。この状態が作れたのは、間違いなくリストマーケティングのおかげである。

リストマーケティングを知ったときに「これなら億を稼げるかもしれない」と思った。売り上げを作る法則がわかったからだ。リスト数や単価、成約率。これらの数字を分析して、改善していけばいい。それだけのシンプルなことだ。

HOW TO EARN
¥500,000,000

第3章

ビジョンを共有する右腕を育てる

ここまで、5億円を稼ぐための序盤のステップを紹介してきた。まずは市場価値の高いスキルを身につけて、仕事を獲得する。そして単価の高い応用スキルを学び、クロスセルを提案して時給を上げる。ただ、これだけでは「仕組み化」するまでに至らない。繰り返しになるが、**仕組みを作るのなら自分以外の「人」や「もの」に動いてもらう必要がある。**

本章では仕組みを作る最初のステップとして、右腕の育て方について解説していく。仕事を受注できるようになって経験を積めば、スキルや実績がある程度磨かれていく。そして他の人に教えられるようになったら、他の人に作業を外注して回す。仕組み作りのひとつの方法として、こんな方法を思い浮かべる方が多いのではないだろうか。

たしかに、仕事を外注するのは、仕組み作りの方法として間違っていない。外注して作業を他のメンバーに割り振れば、自分が手掛けていた業務量以上をこなせるようになるだろう。そうすれば、たしかに売り上げ自体は上がっていく。だが、外注相手と通り一遍のやり取りをしているだけでは、一向に事業はスケールアップしない。**5億円を稼ぐのなら仕事を割り振るだけでなく、信頼できる相手を探し、自分と同様のスキルを持つ人材を育てていくことが重要だ。**これが「右腕を育てる」という考え方である。

右腕はもう一人の自分であり、苦楽を共にする相棒でもある。これから事業を大きくしていく一歩として、右腕を育てるフェーズは避けて通れない。信頼できる右腕ができれば、そこから芋づる式に仲間を増やしていくこともできる。

企業を営むうえでもっとも難しいのは「人材採用」だと言われている。たしかに優秀な人材を雇うのは難しい。仮に雇えたとしても、会社に居続けてもらうのが難しい。その結果優秀な人材が離れてしまい、ポストを埋めるために「それなりの人材」を起用するしかない。こんな状況を目にしたことがある人は多いのではないだろうか。だが右腕選びを成功させれば、このような人材採用の問題もクリアしやすくなる。

右腕を育てるのは、採用について学ぶことと同じでもある。僕は優秀な右腕がいてくれたから、一緒に事業を大きくしていける社員と出会えた。目標に向かって熱中できる仲間を見つけられた。そんな存在を見つけるヒントとして、本章を活用してほしい。

右腕を選ぶ

35 □ 基準をもとに右腕を探す
36 □ 3年以上の付き合いがある（理想は3年以上だが、最低でも1年以上）
37 □ 自己評価が実態と合っている
38 □ 建設的なコミュニケーションを取れる

右腕を口説く

39 □ 右腕をリクルートする
40 □ 右腕が独立しても問題ないほどの稼ぎを得る
41 □ 右腕に独立しても生活できると伝える

右腕に居続けてもらう工夫をする

42 □ 右腕と自分の役割を明確にする（例：意思決定は自分がする）
43 □ 右腕に価値観や理念を伝える

仕事のマニュアルを作る

44 □ Notionなどでマニュアルを作る
45 □ Webライターの仕事の進め方をまとめる
46 □ 記事の書き方、文章を書くポイントをまとめる
47 □ SEOの基本をまとめる
48 □ 仕事の獲得方法をまとめる
49 □ 提案文のテンプレートを用意する
50 □ 記事のテンプレートを用意する
51 □ コミュニケーションのコツをまとめる
52 □ 解説動画を挿入する

右腕にマニュアルを共有する

53 □ 右腕がスキルゼロでも、マニュアルを読めば仕事ができる内容にする

右腕だけで仕事が回るかテストする

54 □ クライアントに再委託の許可を取る
55 □ 右腕に仕事を任せる（例：Webライターの記事執筆）
56 □ 右腕の記事を添削する
57 □ 動画やオンライン会議でフィードバックをする
58 □ 右腕をディレクターに昇格させる
59 □ 右腕とライターだけで仕事が回るか試す

マニュアルを改善する

60 □ マニュアルに書かれていない新規の質問に対する回答を追記する
61 □ マニュアルをブログやYouTubeなどのコンテンツにする

作業者を採用する

62 □ クラウドソーシングやSNSでライターを募集する

63 □ マニュアルに沿って案件を回していく

64 □ 右腕がディレクター、作業者がライターとして仕事を回す

65 □ 右腕に教え方をフィードバックする

66 □ 基本的な事項に加えて、個別のケースをマニュアルに追記する

67 □ 作業者のなかから「右腕の右腕」を採用する

経営者として自分にしかできないことをする

68 □ クライアントに「あなただから」と言われる関係を構築する

69 □ SNSやYouTubeを使って影響力を高める

70 □ 電子書籍や本を出版する

71 □ オフラインで人脈を構築する

HOW TO EARN
¥500,000,000

一緒に事業を大きくする右腕を選ぶ

なぜ右腕が必要なのか？

第2章では、市場価値のあるスキルを磨いて単価を上げていく方法についてお伝えした。ここからは、自分が持つスキルや体験してきたことを他の人に教えて、右腕を育てるフェーズである。

その前に「なぜ右腕が必要なのか？　クラウドソーシングを使って、優秀そうな応募者に仕事を任せればいいのでは？」と疑問に思う方もいるかもしれないので、右腕の重要性を解説しよう。作業量を増やして売り上げを伸ばすだけなら、クラウドソーシングを使っても問題ない。作業者を2人、3人と増やせば、今まで以上の仕事を受けられるようになるだろう。**しかし、クラウドソーシングで採用する作業者と、長く仕事をするのは難しいと僕は思う。なぜなら、人として合うかどうかがわからないからだ。**

仕事を進めるうえで、方向性が変わることやトラブルが起こることは避けられない。そのときに「人として合う」と思える相手なら、柔軟に対処しやすい。一方でクラウドソーシングなど、相手の人柄がわからないような関係性の場合、トラブルが起こったときに揉《も》めてしまうケースが多い。だから、一緒に作業する相手とは信頼関係があり、長く付き合えることが大前提なのだ。

余談だが、最近は「自分はフロントには立たず、誰かの右腕になりたい」という人が増えているように思う。僕のようにYouTubeやXで発信をしつつ、経営をするのはもちろん大変だ。影響力がつくほどアンチが現れるリスクもある。自分を押し出さなくてもいいので、誰かのサポートをしながら理想の働き方やライフスタイルを追求したい、という人がいたら、右腕にスカウトしてもいいかもしれない。

右腕を選ぶ基準

僕の経験上、相性が悪い相手でも、フィーリングで乗り切って1年くらいなら働ける。だがそれ以上の期間になると、相性がものを言う。したがって、**右腕はできれば3年以上の付き合いがある相手が望ましい。**一緒に働くなかで右腕となりうる人を見つけてもいいし、もともと知っている相手でもいいだろう。僕の場合は、勤めていた会社の同僚だったげんさんに声をかけた。この時点で重要なのは右腕と「相性がいいこと」であり、スキルの有無ではない。仮に右腕にスキルがなかったとしても、あとで定着させれば問題ない。

人を選ぶ基準① 付き合いが長い

3年以上の付き合いがある相手なら信頼できて相性の良しあしもわかる

トラブルがあったときも解決しやすい!

付き合いが短い相手だと最初はフィーリングでうまくいっても、その後が長続きしない

トラブルが起こったときに喧嘩《けんか》になるかも…

また、右腕とは「お互いを補完しあえる関係」であることも大事だと思う。以前、とある脳科学の心理測定を受けたことがある（僕はたまたま見つけた『エマジェネティックス®プロファイル』というものを使った）。自分の行動や思考の特性を、数字や色で可視化するものだ。僕の属性は「自分から発信し行動する」「新しいことをどんどん思いつく」といった特徴があり、色のチャートは赤と黄色で埋め尽くされていた。一方げんさんはまったく逆の属性で「物事を整理、管理するのが得意」「共感性が高い」といった特徴が挙げられ、チャートの色はほとんど青と緑だった。つまり、**お互いの不得意な領域をカバーしあっている**のだ。この関係性は右腕選びにおいてマストではないが、相手と補完しあえる関係なら、仕事もうまくいきやすくなる。

ここまでをまとめると、**付き合いが長いことが右腕選びの第一条件**である。できれば付き合いの年数は少なくとも1年、理想は3年以上。そして、お互いが補完しあえる関係だと尚いいだろう。僕はこの条件を無視して仕事をした相手とは、うまくいった試しがない。今は少しずつ社員の人数を増やしているが、少なくとも1〜3年かけて相手の人柄を見るようにしている。

ただ「付き合いが長い」だけでは、人を選ぶのは難しいと感じる人もいるかもしれない。

そこで、もう少し追加のヒントをお伝えしよう。

僕は経営者として会社の人材採用にも携わってきた。採用面接を数多くこなしてきて、最初は言語化できなかった「人を見る基準」が、最近になって明確に言えるようになった。あなたも右腕を選ぶ際に、基準を持っておけばトラブルに陥ることを防げるはずだ。人を見るポイントは「自己評価が実態と合っている」「建設的なコミュニケーションを取れる」、この2つである。

自己評価がその人の実態と合っている

ここでの最初の基準は、自己評価が実態と合っていることだ。自己評価が異常に高い人や、話を盛るような人はNGだと思ってくれれば問題ない。例えば「起業して外注してい るメンバーが30人いる」という状態なのに、話を盛って「起業して社員が30人いる」と言ってしまうような人を、僕は採用しない。業務委託で仕事を外注するのと、社員を雇って経営をするのとでは話がまったく違うからだ。

目覚ましい実績をアピールする人は、本当に結果を出している才能のある人か、ものすごくヤバイ人のどちらかであることが多い。そしてものすごくヤバイ人を採用してしまうと、取り返しがつかなくなるので慎重に相手を見極める必要がある。**一緒に働く相手を選ぶときは、自己評価が実態に合っているかを見る。**自己評価が異常に高い場合は、慎重に相手を見極める。これが最初の基準だ。

建設的なコミュニケーションを取れる

次の基準は、建設的なコミュニケーションを取れることだ。これに当てはまらない人は、論理的な会話ができない、もしくは話をかぶせてくる人が多い。

僕が参加する採用面接の場では「私はコミュニケーション能力が高いです」とアピールする人がいる。ただ、コミュニケーション能力が高い人のタイプは2つに分かれると思っている。**本当にコミュニケーション能力が高い人は、相手の話をしっかり聞いてニーズを把握する。**そのうえで相手の悩みを解決できるのが、本当にコミュニケーション能力が高く建設的なやり取りができる人だ。

一方で、自分が気持ちよくなるような話をするだけの人もいる。仕事は基本的に「相手の話を聞き、悩みを解決するもの」だ。そのような場所で、十分にヒアリングせずに自分の得意なことや、やりたいことを押し付けてしまうのは致命傷である。

このようなタイプは、一見スムーズに会話を進めているように見えるが、実際は話をかぶせて奪っているので、場の空気を読めていないことが多い。そのうえで仕事を進めるとトラブルを起こす可能性が高くなってしまう。

「私はコミュニケーション能力が高いです！　自分にはできます」とオーバートークをする人は、なんだか怪しく見えることが多いと思う。違和感があっても冷静に判断ができず、実際に取引を開始した後にトラブルになるケースもあるだろう。僕も同じような失敗を何度も繰り返してきた。だから今は、**初めて取引する相手はまず軽微な案件を依頼して、問題なければ徐々に核となる事業にシフトしてもらうようにしている。**

自己評価が実態と合っているかどうか。建設的なコミュニケーションが取れるかどうか。右腕を選ぶときは、このような基準を持っておくといいだろう。そして付き合いが長くなれば、信頼できる相手かどうかは容易に判断できるはずだ。

人を選ぶ基準② 自己評価が実態と合っている

◎自分のスキルを客観的な
　目線で伝えられる

×話を盛る
　オーバートークする
　嘘を言ってしまう

人を選ぶ基準③ 建設的なコミュニケーションを取れる

◎相手の話を最後まで聞いて
　ニーズを正確にくみ取る

×相手の話を奪う
　自分が気持ちよくなれる
　ことを話す

人を選ぶ3つの基準まとめ

少し長くなったのでポイントをまとめよう。人材を選ぶ基準は全部で3つある。

- **少なくとも付き合いが1年以上あり、自分と相性がいいこと。理想は3年以上の付き合いがある相手**
- **自己アピールと実態が合っていること。自己肯定感が異常に高い相手は要注意**
- **建設的なコミュニケーションが取れること。相手の話を奪ったり、自分が気持ちよくなるような話をしたりする相手はNG**

これらの基準をクリアした人であれば、スキルがない人を起用しても仕事はうまく回っていく。実際に僕の会社のメンバーである「おきなさん」は、完全にスキルゼロの状態からWeb関連の仕事をスタートしている。しかし3つの基準をクリアしていたので、メンバーとして声をかけて、今では動画編集事業の責任者になっている。

3つの基準をクリアしている人には、優先順位のつけ方がうまい点が共通していると思う。彼らは、例えば「メルマガを使って売り上げを伸ばしたい」というクライアントのニーズを把握して、相手が喜ぶことを優先して取り組む。

一方3つの基準をクリアしていない人は、優先順位をつけるのが下手な人が多い。「相手が喜ぶこと」よりも「自分が気持ちよくなること」を優先してしまうので、結果としてトラブルになったり、プロジェクトを打ち切られたりしてしまう。

相手のことを考えられる人であれば、自分だけにメリットがあるようなことはしない。他者に価値を提供すれば、巡り巡って自分にもいいことがあるとわかっているからだ。誠実な人であれば「他人に貢献することが、結果として自分のためになる」という事実に遅かれ早かれ気づくはずだ。これはブロガーでもライターでも、どんな活動をするにしても共通して言えることだと思う。

逆に自分の利益や成長だけを求めて動いたり、自分の承認欲求を満たすためだけに動いたりする人が、この考え方にたどり着くことはない。そういうタイプの人の周りには、誰も集まらない。目覚ましい成果を出したら人は集まるかもしれないが、一時的なものですぐに終わってしまうだろう。あなたが一緒に働く相手を選ぶときは、ここでお伝えした人を選ぶ3つの基準をぜひ思い出してほしい。

右腕の口説き方

　ここまでお伝えした内容からおわかりだと思うが、右腕はこれから一緒に事業を作っていくパートナーだ。**だから右腕になってもらうにあたり、相手を口説く必要がある。**おそらく、あなたの右腕になりうる人は会社員が多いと思う。会社員の人が仕事をやめたいと思ったときに、気になるのは「やめても同じくらいの稼ぎを得られるか？」だろう。つまり「仕事をやめても、自分の事業に協力すれば稼げるようになる」という状態にして、相手にメリットを提示しなければならないわけだ。

　だからまずは、右腕が独立しても問題ないくらいの実績を出すことが重要になる。十分なキャッシュがないのに、無理やり右腕を独立させるのは得策ではない。例えば売り上げが月20万円しかないのに、右腕と50％ずつ折半したらお互い10万円しか得られない。これでは2人とも満足のいく生活が送れないのは明らかだ。

　とはいえ、いきなり大きな金額を稼ぐのは難しいので、最初は会社員の仕事と並行しながら副業をスケールアップさせつつ、右腕を探すのがいいだろう。会社員の給料があれば、生きていくためのお金は確保できる。僕の場合、げんさんに右腕になってもらったときは副業で100万円ほどの稼ぎがあった。それに加えて、自分自身も会社員として給料をもらっていたから、副業の売り上げが下がったとしても生活面で困ることはなかった。このように、**右腕を選ぶときは、お互いが生活に困らない状況を作ることが前提になる。**

自分で意思決定する

右腕と仕事を進めるうえで大切なのは、上下関係を明確にすることだ。例えば僕の会社では、意思決定は経営者である僕が担っている。意思決定者を明確にしないとスピーディーな判断ができないからだ。

少し話がそれるが、**何かを決めるときに「多数決を取らない」というのも、僕が大切にしていることだ。**「大多数の意見を採用する」という多数決方式にすると、普通の方向に走ってしまう。僕が今まで見てきた成功者のなかで、「他の人が思いつくような普通のこと」

をしている人はいなかった。

つまり、事業をするうえで、他の人と同じ答えにいきつくと失敗しやすい。会社を経営する、すなわち利益を出すのなら、他と差別化することが大前提になる。だから、僕は多数決を取らず自分で意思決定をしている。

右腕を育てるときには、こうした方向性の判断の仕方についても決めておいたほうがいいだろう。

右腕で居続けてもらう

右腕で居続けてもらうのは、「自分に伴走してもらう」ということでもある。右腕に貴重な労力や時間を割いてもらうのは、ハードルが高いと感じる人もいるかもしれない。採用するのは簡単かもしれないが、その状態をキープして「右腕で居続けてもらう」のも、一筋縄ではいかないだろう。右腕が優秀になって自分のもとを卒業する……ということも考えられる。

つながりが「お金だけ」なら、右腕が自分のもとを離れてしまうこともある。**右腕で居**

続けてもらうためには、自分の価値観や理念を伝えて、共感してくれる人を集めることが重要だ。

例えば、僕はあまり自分自身がお金を稼ぎたいとは思っていない。

その代わりに「スキルを磨いて個人で稼げる人を増やし、小さな経済圏を作りたい」という理念のもとに動いている。周りのメンバーにも、常々その想いを伝えている。この理念に共感してくれているから、自分の右腕を含めたメンバーが周りに居続けてくれている。逆に、自分の理念を伝えなければ、今よりもいい条件の仕事が見つかったら右腕はいなくなってしまうだろう。

人生における理念を共有することは、信頼できる仲間と働き続けるために欠かせない。「理念を掲げるなんて意識高い系の人がすることだ」と思う人もいるかもしれない。そう思っていなくても、他の人に同じような言葉をかけられることもあるだろう。ただ、その**理念を言語化して伝えていくことが、ビジネスをするうえで重要なステップになるのは間違いない。**

ただ、活動を始めたばかりの初心者の方に「理念を考えよう」という話をしても、恐らく響かないと思っている。

なぜなら僕自身が、副業でブログやライターの活動をしていたときに理念なんてものを持っていなかったからだ。考えていたのは「早く稼げるようになって会社をやめたい」「仕組みを作って楽になりたい」、この2つだけ。ただがむしゃらに作業して、そこそこの成果が出て、周りに人が集まり始めてから、ようやく理念について考えられるようになった。

仕事をするうえで理念を考えることは重要だ。一度時間を取って考えてみる価値は大いにある。ただ、今までの話をひっくり返すようで申し訳ないが、最初のうちは理念を考えることよりも、とにかくスキルを磨き、実績を作ることのほうが重要だ。そうして他の人に自分の知識や経験を還元できるようになったら、改めて理念を考えればいい。

仕事が自動で回る仕組みを構築する①

マニュアルを作成する

マニュアルとは何か

右腕を選んだら、自分が今までやってきたことのマニュアルを作るフェーズに入る。できれば右腕選びと並行しながらマニュアルを作るのがよいだろう。そうすれば仕事が自動で回る仕組みを整えやすくなるはずだ。例えば、Ｗｅｂライターのマニュアルを作るのなら、以下のような内容があるといいだろう。

- Ｗｅｂライターの仕事内容
- 仕事の全体像
- 文章を書くときのポイント
- Ｗｅｂライティングの基本
- ＳＥＯの基本
- 仕事の獲得方法
- 提案文のテンプレート
- 記事のテンプレート

●コミュニケーションのコツ

このように、仕事をするうえで必要な情報をまとめて、右腕に共有するマニュアルを作る。**僕はNotionというツールを使ってすべての知見をマニュアルにまとめて、社員や外注メンバーに共有している。**必要であれば、記事や営業用の提案文のテンプレートも作成して共有するといいだろう。Notionには文章だけでなく動画の埋め込みもできるので、YouTubeや別のサイトで録画した動画をアップロードすれば、より網羅的に解説できる。

例として、僕の会社でライティング事業を運営している「りょうさん」のYouTubeの目次をご紹介しよう。この動画はSEOライティングのマニュアルをまとめたものだ。

● SEOライティングとは
● SEOライティング完全攻略マニュアル9ステップ
● 【リサーチ編】1. ジャンルへの網羅的な知識を仕入れる
● 【リサーチ編】2. 想定読者の悩みをリサーチ

- 【リサーチ編】3．悩みに答える
- 【記事構成編】4．H2見出しをつける
- 【記事構成編】5．記事タイトルをつける
- 【記事構成編】6．H3見出しをつける
- 【執筆編】7．リード文を書く
- 【執筆編】8．本文を書く
- 【執筆編】9．推敲《すいこう》する

SEOというテーマひとつとっても、解説するべきことは山のようにある。最初はできるところからで問題ないが、**なるべく細かく解説すれば、それだけ右腕が成長するスピードも速まっていく。**

ひとつ補足すると、マニュアルに使うツールはNotionでなくても問題ない。僕はスプレッドシートなど他のツールでマニュアルを作ったこともあるが、Notionがもっとも使いやすいツールだと思い今の形に落ち着いた。ご自身が使いやすく、読み手にとってインプットしやすいツールを選んでほしい。

マニュアルを作る

- Webライターの仕事内容
- 仕事の全体像
- 文書を書くときのポイント
- Webライティングの基本　etc.

**自分の経験を振り返って
必要だと思った内容をまとめる**

マニュアルを活用しよう！

- 右腕に共有してスキルアップ
- 他の作業者が入ったときに役立つ
- 「人に教える経験」を積める

マニュアルを作るメリット

マニュアルを作る作業は時間がかかるし面倒くさい。前段の流れを見て「作りたくない」と思った人もいるだろう。

ではなぜ手間暇をかけてマニュアルを作るかというと、理由は複数ある。1つ目は、言わずもがな**右腕のスキルを上げるため**だ。右腕を選ぶ段階では「スキルではなく人間性を見極めよう。スキルは後から磨けばいい」という話をした。右腕のスキルを磨くための教科書として、マニュアルを使用するのである。右腕に仕事を任せるにあたって「このマニュアルを読んでね」「わからないことがあったら見返してね」と言える状態にする。そうすれば、自分の作業量が大幅に減って後々楽になる。

マニュアルを作る2つ目の理由は、右腕以外の作業者を入れるときにもマニュアルが役に立つからだ。これは僕の失敗談なのだが、げんさんと2人では案件を回しきれなくなったときに、クラウドソーシングを使って複数のライターを雇ったことがある。しかし当時はマニュアルがなかったので、何度も何度も同じ内容をフィードバックする羽目になった。

初心者のライターがつまずくのは、大抵同じようなポイントだ。文章がPREP法（結論、理由、具体例、結論の流れで伝える文章構成）になっていない。結論ファーストになっていない。同じ語尾が連続していて読みにくい……。このような軽微なミスを、毎回毎回指摘するのは骨が折れる。なにより、貴重な時間が奪われるのでもったいない。

だから、このような作業を効率化するためにもマニュアルは必要だ。**「このマニュアルを見た人は、一定水準のスキルを獲得できる」という状態**にしておけば、次のフェーズで事業を拡大しやすくなるだろう。

そしてマニュアルを作る3つ目の理由は、後ほど紹介する「自社商品の販売」のフェーズで役に立つからだ。詳しくは第4章で紹介するが、Webライターをはじめとしたクライアントワークをしてスキルや実績がつけば、口コミや紹介経由で新規案件をもらえるようになり、自分一人では仕事が回らなくなる。

そのときに、人材を採用する目的で、スキルを教える自社商品を作るのだ。例えばWebライター初心者の人向けに、ライティングの動画講義とマンツーマンサポートサービスを販売するのである。このときに、事前に作っておいたマニュアルと、人に教える経験が活《い》きてくる。マニュアルを使って右腕を育てる経験を積めば、自分自身が「スキルを人に教える」という体験ができる。人に教えるという行為を積み重ねると、アウトプットの密度が濃くなって自分自身が成長できるのだ。

このように、マニュアルを作るメリットはたくさんある。右腕が育ち、自分が手を動かさなくても仕事が回るようになる。そして自社商品を販売する際にも、マニュアルを作った経験は活きてくる。**マニュアルを作る作業自体は大変だが、未来の自分を楽にする活動だと思って頑張ってほしい。**

僕が右腕として選んだのは、先述のとおり以前勤めていた会社で出会った同僚のげんさんである。げんさんはブログやライティングについて何も知らなかったが、新卒で勤めた会社にいたときから親交があり信頼していた。

最初におこなったのは、自分が学んだ知識やスキルをそのまま教えることだ。SEOの基本、ライティングのコツや記事の書き方、Lステップ（LINE公式アカウントを使ってマーケティングをおこなうツール）の構築方法など、知っていることをすべてげんさんに伝えた。

「何も知らないげんさん」に「少し知識がある僕」がライティングの指導をするという、今では見ていられないような構図だったが……。

誰かに物事を教えるということ

そして共同運営するブログから月数万円の収益が出たら「今月は5000円分配するね」と言って、会社の行き帰りで5000円札を渡す……というやり取りをしていた。

人にスキルを教えるのは、僕にとって貴重な体験になった。**誰かに物事を教えるのは、**

自分一人で学ぶことよりもハードルが高い。知識を自分のものにしたうえで、人が理解できるように体系立てて物事を伝えないといけないからだ。僕はときどき会話の相手から「たくまさんはよくしゃべりますね」と言われる。これは「自分が話したい」というのもあるが、**「アウトプットすれば自分が成長できる」**とわかっているからだ。だから今でも、げんさんから反応がもらえなくても、僕がアウトプットしたい内容を一方的に伝えることはよくある。

時間と両立

副業時代の話をすると、時間の両立について聞かれることが多い。「本業をしながら副業でブログやＷｅｂライターの仕事をして、どうやって右腕を育てたのか？」という声が聞こえてきそうだが、特段「右腕を育てる時間」を確保していたわけではない。会社の席が隣同士だったので、お昼を食べているとき、退社後に最寄り駅まで歩く途中など、時間があればずっとブログやライティングについて教えていた。

僕は副業に夢中だったので、一切げんさんと雑談はしなかった。口を開くと副業の話ばかりで、大変面倒くさい奴だったと思う。「次はこうしたらどうかな？」と、思いつくままにアイデアを提案して、げんさんは「そうですね」と返事する。こんなやり取りを毎日のように続けていた。

今の時代はブログやSEOに関する本や動画がたくさんあり、体系立てた内容を勉強しやすくなっている。だが、当時は、そんなコンテンツはなかった。SNSに「情報商材屋」や「ビジネスインフルエンサー」を名乗る人が出現し始めてはいたが、そこまで濃密な情報はなかったように思う。

だから、僕は自分が成功した「PV数を伸ばす方法」や「売り上げを伸ばした方法」を実体験ベースでげんさんに教えていた。振り返ると間違っているノウハウばかりなのだが、正解を知る術《すべ》すらなかった。このようにして、僕たちは大変な遠回りをした。2015〜2016年の出来事である。

今の僕が初心者なら、YouTubeなど無料で得られる情報や、書籍を活用してSEOの基礎やブログの閲覧数の伸ばし方をインプットするだろう。そして結果を出している人のコミュニティに入って、コンサルをしてもらうと思う。今の時代は良質な情報がたくさん出回っているので、これから活動を始める人は遠回りするのを避けられるだろう。

価値観に共感してくれる相手

ひとつ前置きをすると、僕はげんさんのことを「右腕にしよう！」と思って声をかけたわけではない。当然、「げんさんを右腕にしてゆくゆくは会社を作るんだ」と思っていたわけでもない。「一人だとこなせる作業量に限界があるので誰かに手伝ってもらおう」くらいの気持ちだった。

ただその当時から、「クラウドソーシングを使って全く知らない人に外注をするのは危険かも」という考えはあった。仕事をするときに、適当なマインドで取り組む人や、途中で連絡がつかなくなるような人だと困る。**長期的に売り上げを伸ばすのなら、自分の考え方に共感してくれる人に協力してもらう必要がある**と思ったのだ。

もちろん、マニュアルを作って知らない人に仕事を依頼することもやろうと思えばできる。だが、毎回違う人に同じことを何度も教えるのは効率が悪すぎる。だったら、**一人でもいいから価値観に共感してくれる相手を見つけよう**と考えた。

クラウドソーシングで複数人に外注するリスク

・同じフィードバックを何回もする
・適当な仕事をする人がいる
・途中で連絡がつかなくなる人がいる

リスクを抑えるために

自分の価値観に共感してくれる人を
一人見つけて、一緒に仕事をしていく

右腕を見つける行為をゲームに例えるのなら、セーブポイントを作るのと同じようなものだ。右腕がいないと、毎回違う外注相手に同じことを何度も教えないといけない。これではセーブ機能がないゲームをプレイしているようなものだ。だが右腕に自分の知識を教えれば、次はセーブポイントからゲームを再開できる。言い方は悪いかもしれないが、仕事をゲームだと捉えるとやりたくないことも楽しめるようになるので、この考え方は個人的にはおすすめだ。

信頼はするが、期待はしない

げんさんとはもう10年以上の付き合いだが、これまで喧嘩したことはほとんどない。お互いあまり怒るタイプではないのが大きな要因かもしれない。それに、言葉を選ばずに言うと、**僕は周りのメンバーを「信頼」しているが、彼らに「期待」はしていない。**げんさんに限らず、他人に期待しないようにしている。他人が自分の思い通りに動かないのは当たり前で、そこに怒りや憤りを覚えると生きづらくなると思うからだ。

他人が期待通りに動かなかったときは、自分の言い方が悪かったのだと思うようにしている。もし言い方や指示内容を変えても相手の行動が改善されなかったときは、いさぎよく諦める。

こんな話をすると「どうしてそんな精神を持つようになったんですか？」と聞かれることがある。前の章でもお伝えしたが、僕の人格が変わったのは学生時代にスポーツの世界に踏み込んだのがきっかけだ。僕がいたバレーボールの強豪校では、誰かが失敗して試合に負けても「あいつのせいで負けた」と言う人はいなかった。そう言っても次の試合に勝てるわけではないし、自分がレギュラーになれるわけでもない。**スポーツの世界ではすべてが自己責任なのだ。他人に期待することほど、意味のないことはない。**このような環境下で、粛々と自分がやるべきことをやる精神が身についた。

同じように、仕事でも他の人に対して怒ることはないし、相手とうまくいかなくても喧嘩や揉めごとにはならない。僕自身に直せるところがあれば改善はするが、それでも相手が変わらなければ諦めるようにしている。

個人に依存する事業は安定性が低い

僕は「人に依存する」という状態はリスクだと考えている。

例えば、最悪明日僕が死んでも、EXTAGE株式会社という組織が滞りなく回る状態を作りたいと思っている。だから、以前は僕の名前をつけていたYouTubeチャンネルやブログの名称も「EXTAGE WORKS」に変更した。個人に依存する事業は安定性が低いからだ。同じように、事業責任者についても今後はローテーションをおこない、誰がどの事業責任者になってもプロジェクトをつつがなく進行できる状態にしようと考えている。

ここまでの内容を踏まえると僕はドライな人間に見えるかもしれないが、コミュニティや会社の存在は心から大事に思っている。所属しているメンバーのスキルや成果を伸ばして、一人でも多くのビジネススキルを高める手伝いをする。そして小さな経済圏を作っていく。これが、僕が仕事に打ち込む最大のモチベーションであり、今日もその仕組みを作るために動いている。

仕事が自動で回る仕組みを構築する②

右腕だけで仕事が回るかテストする

右腕選びとマニュアル作成が終わったら、右腕に仕事を任せるフェーズに入る。それまで自分が手掛けていたＷｅｂライターの仕事を任せて、問題なく回るかテストしよう。

具体的な手順を解説する前に、改めてここまでの流れと目的を整理しておきたい。仕事をするにあたって、自分のパートナーとなる右腕を入れたのは「仕組み作り」のためである。一人で生み出せる売り上げには限界があり、自分以外の人やものの力を借りないと売り上げを伸ばしていくのは難しい。現実的な策として、本書ではＷｅｂライターの仕事をスタートして事業を作っていく流れを紹介している。右腕に仕事を任せるのは、「人を動かして事業を作る」最初のステップだ。今まで自分で手掛けていた仕事を任せて、自分が手を動かさなくても仕事が回る仕組みを作ることがこの節の目的である。

ただ「右腕に仕事を任せて、自分は引退をする」という意味ではない点に注意してほしい。仕事を任せることができれば、あなたには時間の余裕が生まれるはずだ。その時間を、あなたは右腕へのフィードバックやマニュアルの改善、営業活動とさまざまなことに費やすことができる。**言い換えると、より生産性を高めるための動きにシフトしていくのだ。**

人にスキルを教えられるレベルになれば、あとはどれだけ「自分ならではの価値を高められるか」が大切になってくる。経営者の視点も含んだ話をするので、少し難しく感じられるかもしれないが、それぞれのポイントを紹介するのでついてきてほしい。

では具体的な話に移ろう。まずは今請け負っているWebライターの仕事を右腕に任せることから始める。例えば、クライアントからSEO記事の執筆を請け負っているのなら、その作業を任せるのだ。

ここで注意したいのは、**クライアントに無許可で右腕に再委託をしないこと**だ。案件によって第三者に作業を再委託していいかどうかは規約が違う。したがって、必ずクライアントに許可を取ったうえで仕事を任せよう。

右腕と仕事するときに意識したいのは「記事の品質チェックは自分がおこなうこと」「手厚いフィードバックをすること」の2点である。それぞれ詳しく解説しよう。

記事の品質チェックは自分

１つ目のポイントは、記事の品質チェックは自分がおこなうことだ。右腕にすべての作業を任せっきりにしてはいけない。原稿の執筆は任せてもいいが、その後に内容に問題がないかは必ず自分でチェックしよう。

なぜ品質チェックを自分でおこなうかというと、理由は2つある。ひとつは、右腕と自分自身を成長させるため。もうひとつはクライアントとの信頼関係をキープするためだ。まず右腕と自分を成長させる点について解説しよう。右腕が最初から高品質な成果物を作れるとは限らない。文法が間違っている。十分な根拠が提示されていない。結論が曖昧でわかりにくい……。特にライター初心者に記事執筆を任せると、このような事態に陥ることが多い。

したがって、右腕が書いた記事に改善点があったら、余すことなく直してフィードバックをする。**人の記事に赤入れをすると「なぜ修正する必要があるのか？」を考えるいい機会になる。つまり「いい文章とはどのようなものか」を言語化できるのだ。**

記事の品質チェックは自分がおこなう

フィードバックをすると自分も成長できる

「いい文章とは何か?」
「わかりやすい文章とは?」を
言語化できるため

クライアントとの信頼関係をキープする

右腕に執筆を依頼してクオリティが落ちるのはNG!
第三者に記事を書いてもらっても、自分でチェックして
質をキープしよう

例えば右腕に対して「記事の中で『〜ですよね』と呼びかける表現は使わないほうがいい」とフィードバックしたとする。このときに、なぜその表現をしないほうがいいのか、きちんと理由を考えて伝えることが大切だ。「〜ですよね」という言い方がカジュアルだから直すのか。言い切っているニュアンスが強いから直すのか。それともその一文全体が不要だから直すのか。

このように、同じ表現であっても修正する理由はそれぞれ違う。こうした要素を分解して相手に伝えられるようになれば、自分自身も成長できる。

次に、クライアントとの信頼関係をキープすることについてだが、言わずもがな、**第三者に仕事を再委託したことにより記事の品質が落ちるようではNG**だ。ライターなら、誰に依頼しようと自分自身が書く記事と同じクオリティのものをクライアントに出さなくてはいけない。

クライアントに「他のライターに再委託をしたい」と話したら、相手は「記事の質が落ちないか」と心配するだろう。だから、自分が記事をチェックして品質を落とさないことが、再委託の絶対条件になる。クライアントにも、再委託しても記事の質は変わらない旨を伝えたほうがいいだろう。

手厚いフィードバック

右腕は今後も育てていく相手なので、こまめに顔を合わせてフィードバックをすることも大切だ。記事に赤入れして文章だけでコミュニケーションを取るのではなく、動画を撮ってフィードバックを送付するのもいい手段だと思っている。**僕はクラウド画面録画サービスのloomというツールを使っている。画面共有しながら解説できるので、文章だけで伝わりにくい内容や、より細かく指示をしたいときに最適だ。**

右腕とのやり取りには、必要に応じてZoomやGoogle Meetなどのオンライン会議ツールを使おう。週1回の定例打ち合わせを設けてもいいかもしれない。そのときに現状困っていることを聞いて、一緒に解決していくのもあなたの役割だ。どんな仕事をするにしても「**自分と右腕が一緒に成長していける状態**」を作ることが理想である。

なぜ右腕に手厚いフィードバックをするかというと、自分のクローンのような存在を作るためだ。本節では右腕の育て方について解説しているが、次節からは右腕の下に「作業者」を入れて、よりたくさんの案件を回していくことになる。そのときにトラブルなく仕事を進めるためには、右腕のスキルを成熟させなくてはいけない。

このように、右腕に記事を書いてもらったら、文章の添削をするだけでなく手厚いフィードバックをすることが大切だ。動画で詳しく添削の意図を解説したり、細かなニュアンスを伝えたりすれば、右腕が成長するスピードは上がっていく。ゆくゆくは、自分が手厚いフィードバックをしなくても、質の高い成果物を出してくれる状態になるだろう。

右腕には手厚いフィードバックをする

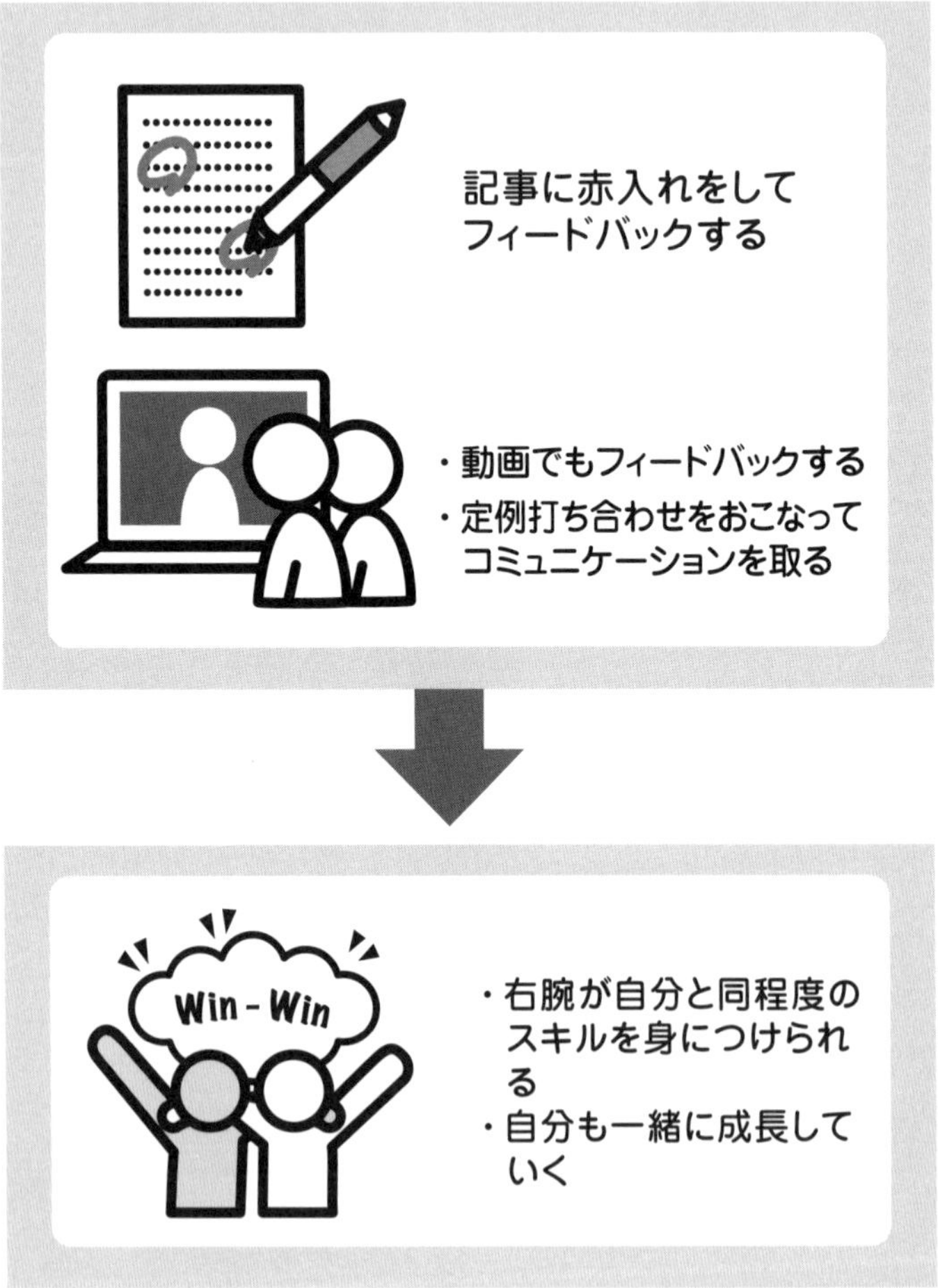
記事に赤入れをして
フィードバックする
・動画でもフィードバックする
・定例打ち合わせをおこなって
コミュニケーションを取る
Win - Win
・右腕が自分と同程度の
スキルを身につけられる
・自分も一緒に成長していく

右腕をディレクターにする

右腕に最初に頼むのはライターの仕事だが、ある程度スキルが定着したら、右腕をディレクターの立場にするのが理想だ。**ディレクターとは、複数のライターを束ねて管理する立場の人を指す。**例えば複数人のWebライターに仕事を発注し、全体の管理や個別のやり取り、Webライターから上がってきた記事のチェックをするのがディレクターの仕事だ。右腕にディレクターになってもらい、ライティングの仕事がつつがなく回るようになれば、あなたがライティングの仕事に割いていた時間を別のことに割けるようになる。

ちなみにこの段階では、**右腕にはライティング案件を任せて、営業活動は自分でおこなうのが望ましい。**もちろん右腕も営業できるに越したことはないのだが、経験がない状態でクライアントと商談をしても成約率は上がらない。原稿の書き方や記事作成の流れ、売り上げの作り方を知らなければ、クライアントに提案やアドバイスができないからだ。

まずは自分がやったのと同じように、右腕にはライティングの基礎スキルを身につけてもらう。そしてスキルが定着したら、ディレクターとして作業者の司令塔になる。作業者を入れて仕事を回す方法については、次節で詳しく紹介する。このフェーズでは、「ゆくゆくは右腕をディレクターにする必要がある」と覚えておくことが大切だ。そのために、右腕が書いた記事にほとんどフィードバックをしなくてもいい状態を目指そう。あなたと同じくらいのことができるようになるまで右腕が育ったら、あなたは営業活動など生産性の高いことに時間を使えるようになる。

マニュアルを改善する

右腕を育てる傍ら、作ったマニュアルを改善することも大切だ。実際に仕事を進めていくと、右腕がつまずく場面やマニュアルを読んだだけでは解決できないことが出てくるはずだ。例えばSEOの基本のテクニックを見ても記事に落とし込めていないのなら、サンプルとなる記事を提示したほうが親切かもしれない。

マニュアルを作る目的のひとつは、**右腕から「これはどうしたらいいですか?」と聞かれる回数を減らすこと**だ。質問に答える行為は、自分の時間を消費しているのと同じだ。もちろんケースバイケースで対応するべきこともあるが、言語化できるようなことならすべてマニュアルに落とし込めばいい。以前の僕は、外注しているライター全員に個別にフィードバックをしていた。だが違う人に同じフィードバックをするのは効率が悪いと思ったので、マニュアルを作ることにした。聞かれたことに毎回答えるのではなく、言語化できそうなことはどんどんマニュアルに追記していく。そうすることで、マニュアルの資産性も上がっていく。

マニュアルをコンテンツ化する

マニュアル改善で大切なことをもうひとつお伝えしよう。「仕事が自動で回る仕組みを構築する」という軸からは少し話がそれるが、「5億円を稼ぐための仕組みを作る」うえでは重要なことだ。仕事をしながらマニュアルを改善する際には、コンテンツにすることを想定したうえで作業に取り掛かろう。

例えば僕は右腕へのフィードバックを動画でおこなうようにしている。そしてこの動画を右腕に対してだけでなく、ＹｏｕＴｕｂｅにアップして万人が見られるコンテンツにできるように録画するのだ。

以前「営業のトークの仕方がわかりません」と質問を受けたときは、営業トークに盛り込むポイントや具体例をまじえた営業マニュアルを作成した。個別で受けた質問へのフィードバックであっても、動画を撮るときに「〇〇さんお疲れ様です」のような言葉は使わない。「今回は営業トークの基本について話します。ポイントは全部で13個あります」と、誰に見せても問題ない言葉を使って動画を撮る。

なぜこのようなことをするかというと、**右腕に対するフィードバックをその場限りで終わらせてしまうのはもったいない**からだ。自分と右腕の間で共有するだけでなく、YouTubeのコンテンツにすれば、視聴回数が増えて広告収入が発生する可能性がある。言い換えると、フィードバックは自分の資産にできるのだ。このような点を意識しながらマニュアルを作れば、右腕を育てながら自分のコンテンツ制作を同時並行で進められるだろう。

フィードバックを1回で終わらせない

×

記事の赤入れや添削、
対面でのフィードバックを
その場限りで終わらせる

例）Aさんに向けて
「わかりやすい文章の書き方」
のフィードバック動画を撮る

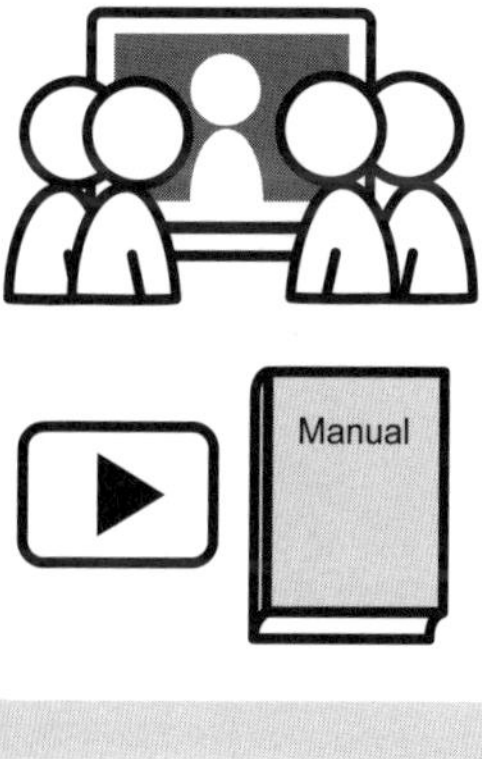

◎

他の人にも見せられるような
フィードバックをして、
コンテンツにしていく

例）ライター初心者に向けて、
「わかりやすい文章の書き方」の
フィードバック動画を撮る

内容をマニュアルに落とし込んだりYouTubeにアップ！

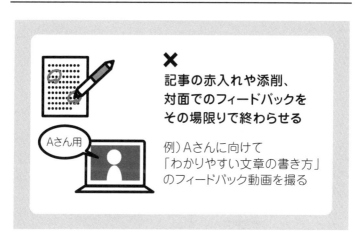

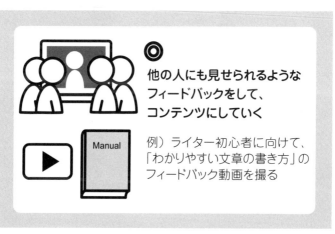

仕事が自動で回る仕組みを構築する③

右腕の下に人を採用する

ここまで「仕事が自動で回る仕組みを構築する方法」についてお伝えしてきた。内容を簡単におさらいしよう。

- 自分のパートナーとなる右腕を選ぶ
- マニュアルを作って右腕のスキルを向上させる
- 右腕が自分と同じレベルの作業ができるようになるまで育てる

この一連の流れを終えたら、右腕の下に人を採用するフェーズに入る。登場人物が増えてきたので、わかりやすくするために右腕の下に入る人を「作業者」と呼ぶことにしよう。作業者は、あなたや右腕が手掛けていたような案件を代わりにこなす人のことだ。

作業者が入る代わりに右腕はディレクターになり、あなたは営業や集客活動をすることになる。そしてこの活動が会社の事業になるので、経営者としての活動にも時間を割いていくことを覚えておこう。

自分と右腕、作業者の関係図

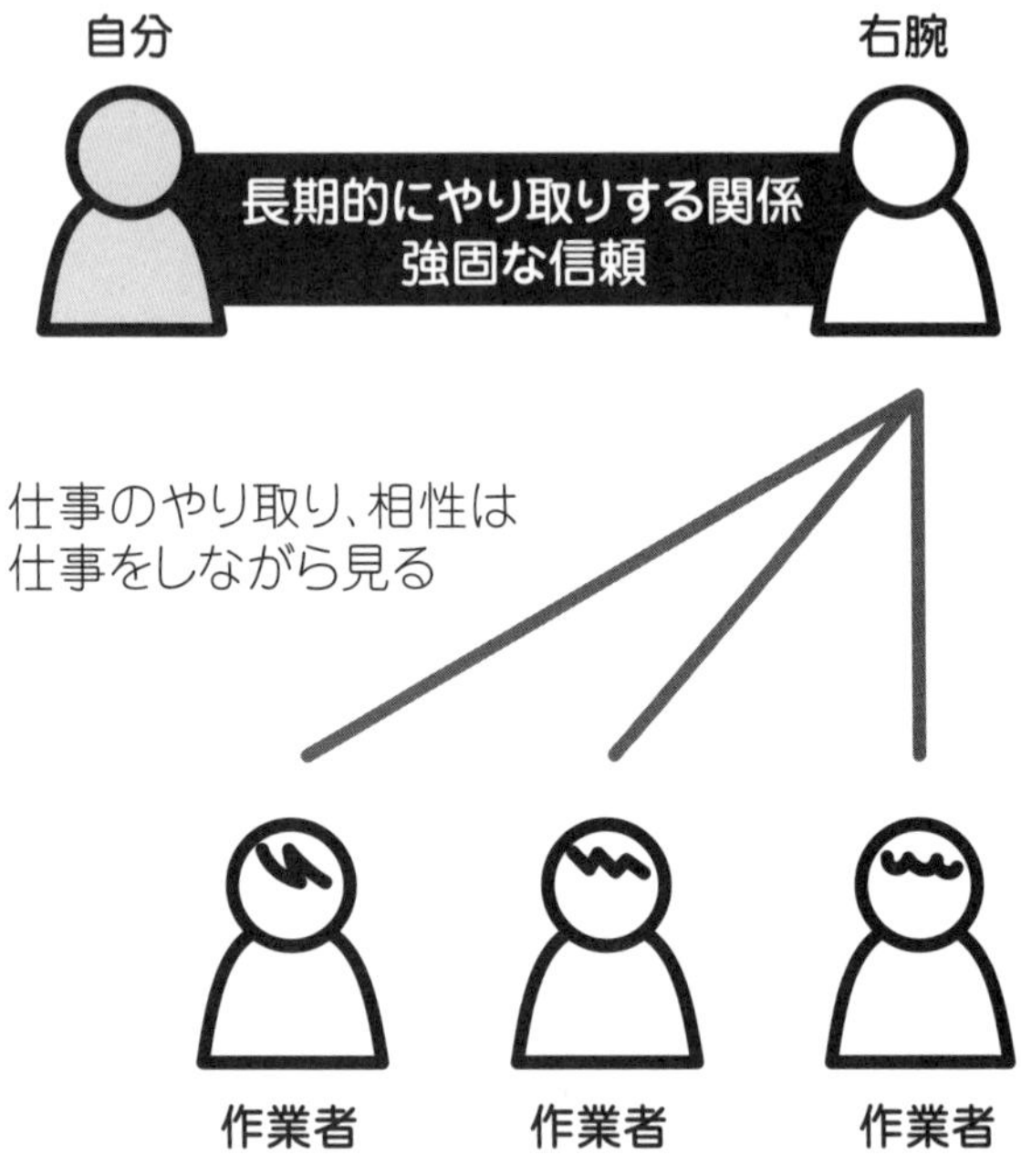

作業者を採用して仕事を回す

ここからは、作業者を採用して仕事を回す具体的な流れについて解説する。右腕の採用では「少なくとも1年、できれば3年以上の付き合いがある人が望ましい」という話をした。**しかし、作業者に関してはあなたとの相性のよさを気にしなくていい。**右腕と作業者は役割が違うからだ。

右腕は一緒に事業を作っていくあなたのパートナーなので、長く付き合っている人の中から相性のいい人を選ぶ必要がある。しかし作業者に関しては、マニュアル通りにライティング案件を手掛ける人なので、長く付き合うかどうかは仕事をしてから決めればいい。したがって、作業者のポジションに入る人はクラウドソーシングやSNSを使って探しても問題ない。例えば「筋トレの記事を書けるライターを募集します。文字単価は1・5円からスタート。継続依頼あり」のような案件をクラウドソーシングに公開して、ライターを募る。そして応募してきたなかから採用するライターを選び、作業者としてアサインし、マニュアルに沿って案件を回していく。このような流れができれば、作業者は自分と付き合いがない人であっても問題ない。

作業者の採用で特に注意したいのは、あなたと右腕、作業者、それぞれの役割を明確にすることだ。あくまで作業者とやり取りするのは右腕なので、あなたが作業者を選ぶ必要はない。作業範囲を切り分けると、以下のようなイメージだ。

- **あなたの役割：仕事の獲得、右腕に対する教え方のフィードバック、その他方針決めなど**
- **右腕の役割：作業者の採用、作業者との事務連絡、記事の品質チェック、作業者へのフィードバック、その他のディレクション業務**
- **作業者の役割：記事の執筆などライティング業務全般**

自分と右腕、作業者の役割

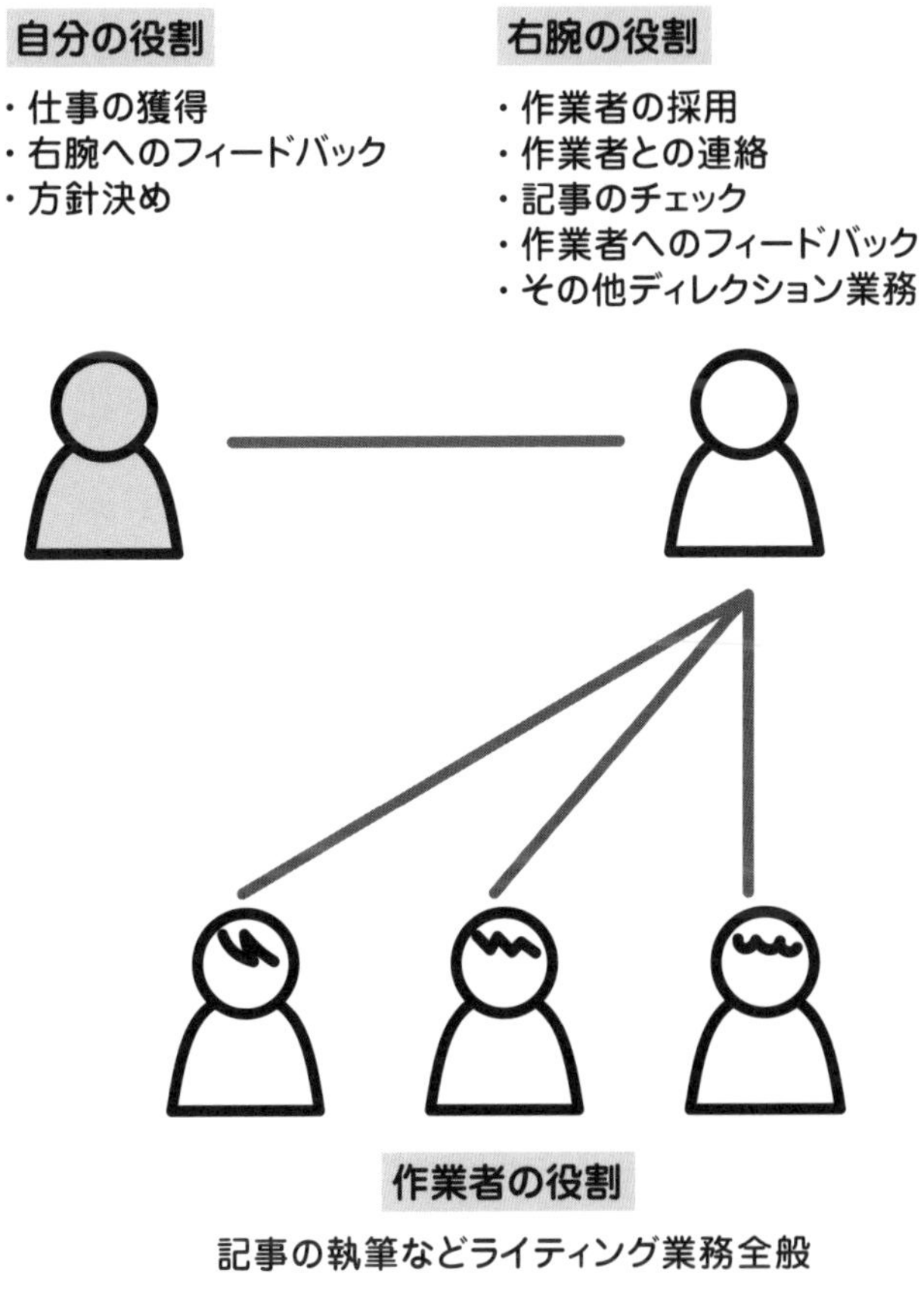
自分の役割
・仕事の獲得
・右腕へのフィードバック
・方針決め
右腕の役割
・作業者の採用
・作業者との連絡
・記事のチェック
・作業者へのフィードバック
・その他ディレクション業務
作業者の役割
記事の執筆などライティング業務全般

このように、あなた自身は作業者と関わることはあまりない。作業者と関わるのは右腕なので、作業者の人柄やスキルを見て採用するのは右腕に任せるのがいいだろう。実際に作業者に仕事を任せてみて、継続するかどうかも右腕に判断してもらうのがおすすめだ。

ただし、作業者を募るにあたって必要なスキルや支払う報酬については、あなた自身が考える必要がある。例えば、僕の会社ではスキルに応じて支払う金額を決めている。初心者のライターなら文字単価1円、基礎スキルを身につけてフィードバックのほぼない記事が書けるようになったら文字単価2円、ディレクションができるようになったら1記事につきプラス1万円……という具合にレイヤーを分けて報酬設定をしている。

作業者の採用や継続については右腕が決めて問題ないが、条件や仕組みを整える段階では、あらかじめあなた自身が決めておいたほうが、後々トラブルになりにくくなる。

これから人を採用して事業を大きくすることを見据えるのなら、このような仕組みも検討すると楽になるだろう。

作業者が入ってからは、基本的にはあなたは作業者とは関わらない。作業者とやり取りするのは右腕の役割だ。ではあなたは何をするかというと、**「右腕に教え方をフィードバッ**

クする」のである。わかりやすくするために一連の流れを整理しよう。

- ライティングの作業をして原稿を提出する(作業者→右腕)
- 記事の添削をしてフィードバックする(右腕→作業者)
- 添削した原稿や、フィードバックの動画を共有する(右腕→あなた)
- フィードバックの仕方を指導する(あなた→右腕)

このような流れで、右腕から作業者に対しておこなったフィードバックを、あなたにも共有してもらうのだ。添削内容に抜け漏れがないか、動画でわかりやすく解説できているかをあなた自身がチェックするのである。改善できる点があれば、積極的に右腕に対してフィードバックをしよう。

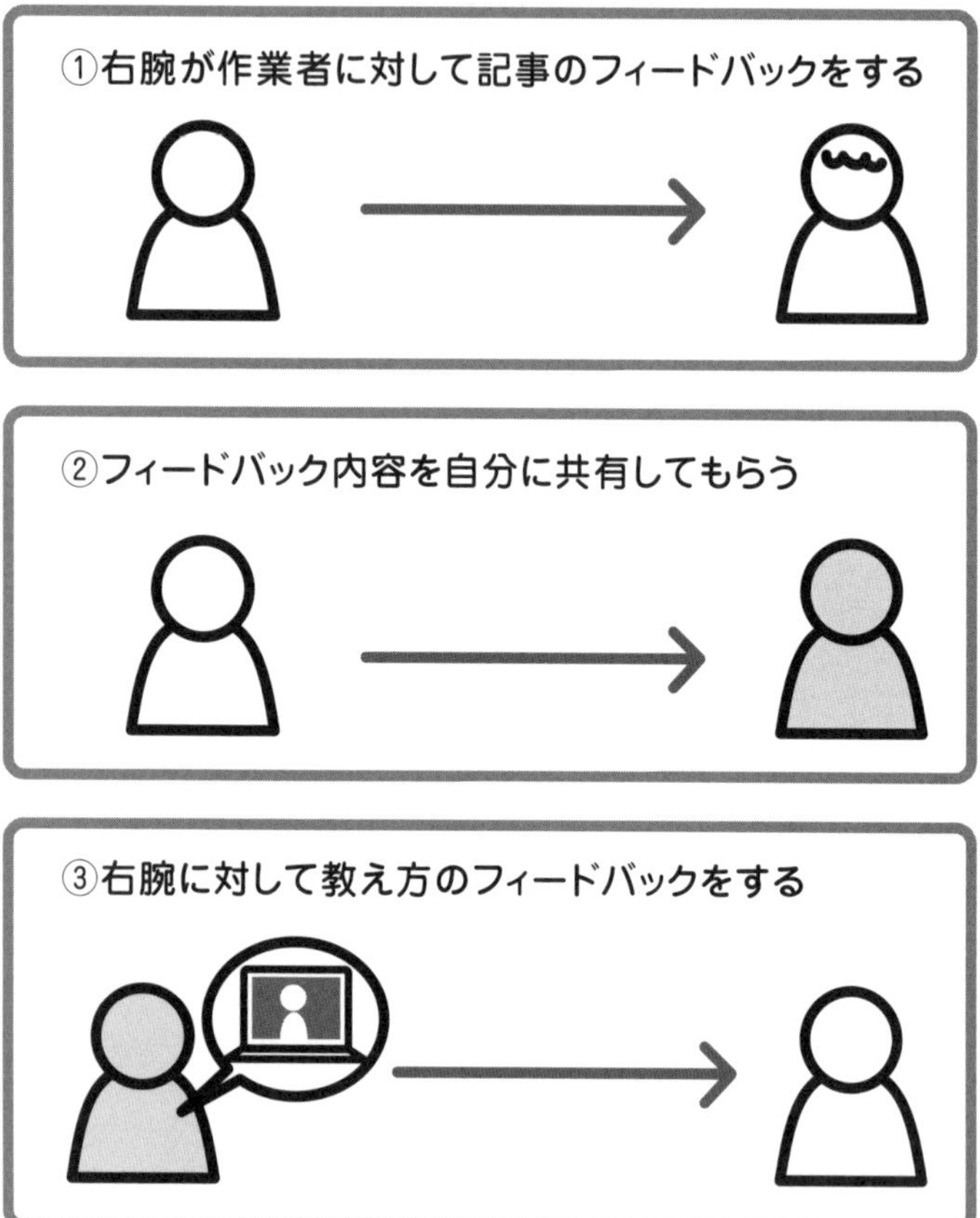
①右腕が作業者に対して記事のフィードバックをする
②フィードバック内容を自分に共有してもらう
③右腕に対して教え方のフィードバックをする

昔の僕も、右腕のげんさんに対して、記事のフィードバックの仕方を教えていた。このようなところまで手を回すのは大変かもしれないが、右腕が「人に教えるスキル」を身につければ、もう一人の自分がいるようなものだ。ここまでくれば、自分の工数をかけなくても仕事は自動で回りやすくなる。

個別のケースをマニュアルに追記

作業者を入れて仕事を回す段階でも、マニュアルの改善作業は欠かせない。例えば僕が作った最初のマニュアルには、ＳＥＯの基本やＰＲＥＰ法など文章の書き方をまとめていたが、どんなケースにも当てはまるような抽象的な内容だった。だから**読んだ人は基本の知識は理解できるものの、クライアントの満足度アップにはつながらない……という状態**だった。

そこで、個別のケースに対応できるような解決策をマニュアルに盛り込んだ。**共通して必要な基本の知識に加えて、案件ごとの方針を追加したのだ。**例えば「Ａ社のオウンドメディアはビジネスマン向けなので、記事の中でカジュアルな表現は使わない。また、よほど読みにくいものでない限りは、漢字をひらがなにしない」といったルールを記載する。この他にも担当者の性格や好まれるコミュニケーションスタイルなども記載して、できる限り個別具体的な情報を盛り込んだ。

こうした考え方は他のケースにも置き換えられる話だ。例えば、ネット検索すれば一般的なSEOのノウハウはいくらでも出てくる。しかし、特定のジャンルにおけるキーワードの見つけ方など、細かなテーマの答えは見つけにくくなっている。情報が溢《あふ》れかえっているなかで、どれだけ個別のニーズに応えられるかが重要になっているということだ。

このように、マニュアルにはそれぞれのクライアントを満足させるための個別具体的な情報を盛り込もう。今の時代、質の高いものを作りあげることは当たり前だ。そのために一般的な基礎スキルを身につけるのはもちろん大切だが、**「目の前にいる相手のニーズをくみ取ってどれだけ満足させられるか」が問われる時代になっていると思う。**

個別のケースをマニュアルに追記する

→ 一般的なノウハウだけだと…

作業者が個別のケースに対応できない

「A社の場合はどのように対応したらいいんだろう?」

仕事を回しながら、個別の対応をマニュアルに追記する

例)
「A社のメディアはビジネスマン向けなのでカジュアルな表現は使わない」

右腕の右腕を育てる

無事に右腕が育って作業者が入れば、自分の作業量は大幅に減って楽になるはずだ。そのようにしてあなたの理想の生活が送れるのなら、もうここで本を閉じてもらってもいい。ただこの本のゴールである「5億円を稼ぐこと」を見据えると、会社を作って事業を大きくしていくことになる。

そのためには、早いうちから「右腕の右腕」を育てることも視野に入れると、組織を拡大しやすくなる。あなた自身と相性が合う人でなくてもいいので、右腕と相性がいい人は、**作業者から「右腕の右腕」にステップアップさせること**も検討しよう。例えば僕の会社でライティング事業の責任者を任せているりょうさんは、最初は作業者の一人だった。だが書いてくれる記事の質が高かったことと、右腕との相性がよかったことから「右腕の右腕」として社員登用することになった。

作業者のなかに右腕と相性のいい人がいたら…

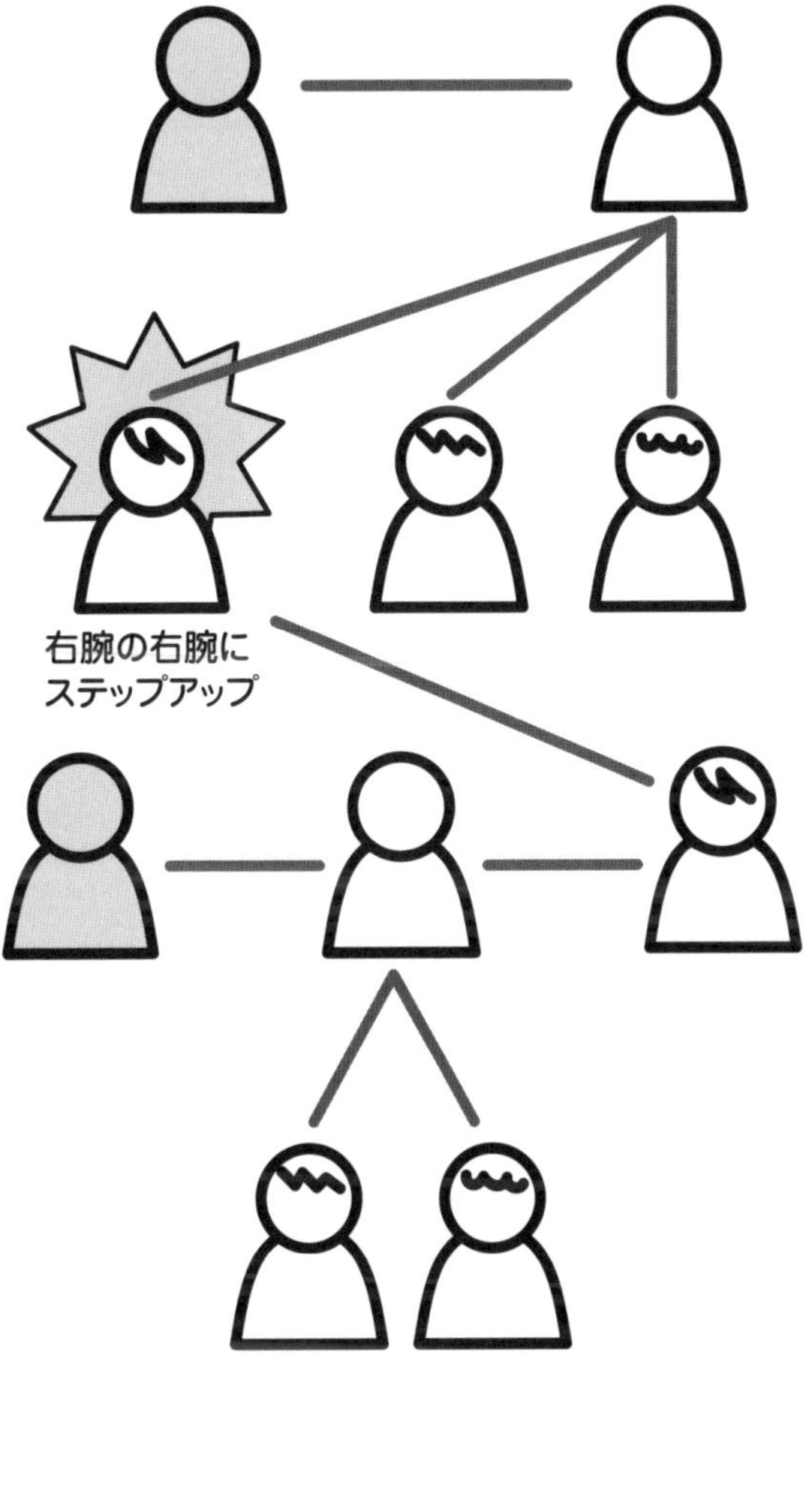

作業者はライティングの仕事を回す役割なので、相性や人柄を重視しなくても問題ない。ただその中に優秀な人材がいるのなら、「右腕の右腕」としてオファーすることも検討しよう。そのためには、あなた自身が右腕に対して、人材を見極めるポイントを伝える必要がある。

人材を見極めるポイントは「右腕を選ぶ基準」（P116〜）でも解説したが、改めてポイントを整理しよう。

- 少なくとも付き合いが1年以上（理想は3年以上）あり、信頼できること
- 自己アピールと実態が合っていること。自己肯定感が異常に高い相手は要注意
- 建設的なコミュニケーションが取れること。相手の話を奪ったり、自分が気持ちよくなるような話をしたりする相手はNG

この3つのポイントを、右腕に繰り返し伝えること。僕自身も、自分の右腕を含む信頼している社員にはこの考え方を常に伝えるようにしている。人の見極め方の基準を常に持っておけば、優秀な人に出会ったときに声をかけやすくなるはずだ。

さらに細かな話をすると、事業を回すのなら右腕や「右腕の右腕」は、一人ではなく少しずつ増やしていく必要がある。誰か一人が抜けたときに仕事が回らなくなってしまうようでは、事業として成り立たないからだ。

僕の最初の右腕はげんさん一人だけだった。もし途中でげんさんがいなくなってしまったら、僕は途方に暮れただろう。だが、コミュニティを運営するようになり、徐々に信頼できるメンバーを社員登用して、今では5人ほどの右腕がいる。それぞれの事業責任者がいて、もしそのうち一人がいなくなっても他のメンバーをスライドすれば事業が成り立つように体制を整えている。「この人しか事業を回せない」という状態に陥ってしまうのが、企業としては一番のリスクになるからだ。

ただ最初から右腕を複数人育てるのは難しいので、最初は一人の右腕を育てれば問題ない。まずは目の前にある仕事を、右腕と作業者たちで回せるような状態を目指そう。

右腕や「右腕の右腕」を増やすと事業になる

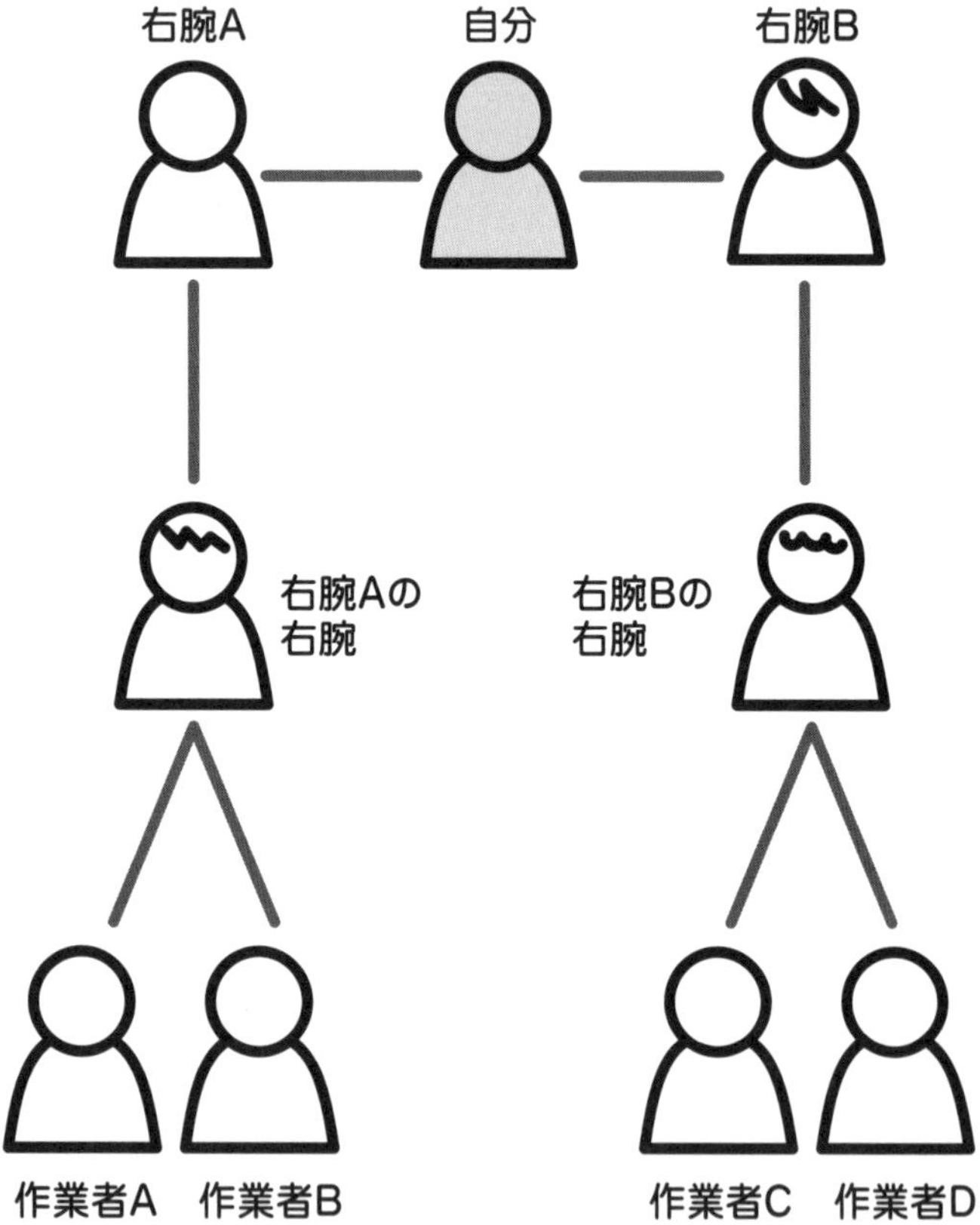

経営者がやる仕事をする

ライティングの仕事は作業者がおこない、右腕がディレクションをする。その傍らであなたがおこなうのは、いわゆる経営者の仕事だ。ただここでいう「経営者の仕事」というのは、会社を立ち上げて社長になるということではない。形式上は副業中の会社員でもフリーランスでも、一人社長でもどれでも問題ない。

大切なのは「○○さんだから仕事を依頼したい」と言われる状態を作ることだ。自分の影響力を高めたり、同じ業界にいる人と関係を構築したりして、仕事が舞い込む状態を作る。そして受注した仕事を、右腕や作業者に回して売り上げを伸ばしていく。この一連の流れが、ここでいう「経営者の仕事」である。

例えば僕の場合は、僕自身が広告塔となって会社の売り上げを伸ばす活動をしている。SNSやYouTubeの発信、本書の執筆など「福田卓馬」という人物に強く紐《ひも》づく活動がこれに該当する。こうした発信活動をすると、法人との取引や銀行との商談のときにも信頼アップにつながることが多い。すでに名前や顔を出して活動しているから、事前に姿や人柄を見てもらえて安心感が生まれやすいからだ。

また会社の経営計画も、僕自身が立てるようにしている。3年、5年など長期の事業計画を考えて、それを実現するためにメンバーに指示出しをしている。

読者のあなたは「そこまでスケールの大きなことはできない。自分は社長ではないし……」と思っているかもしれない。しかし、右腕と作業者がいるのであれば、やることは経営者とほぼ同じだと僕は考えている。**「あなたに仕事を頼みたい」という状況をいかに作り出せるか。これは副業をしている会社員でも、フリーランスでも、経営者でも、どんな立場であれ変わらない最優先事項だ。**

他の章でもすでに述べたが、ある一定の分野でスキルレベルが成熟したら、それ以上スキルで大きな差がつくことはない。ライターとして書く記事が90点のAさんと80点のBさんの2人がいたとして、必ずAさんが選ばれるかというとそうではない。なぜなら「あなたにお願いしたい」という状況を作り出せば、80点のBさんが選ばれる可能性は十分あるからだ。

2人とも合格点を超えているのなら、信頼できる人やコミュニケーションが取りやすい人を選ぶ人が多いだろう。いかにAさんの書く記事が高品質であっても、3回に1回納期に遅れるようであれば、毎回納期を守るBさんに依頼しよう、と考えるクライアントもいるはずだ。実際、ライティングスキルがものすごく高くなくても、このようにソフトスキルを高めて仕事を獲得しているフリーランスを、僕はたくさん見てきた。

したがって、右腕と作業者を従えて仕事が回るようになったら、あなたがやるべきなのはスキルを磨くことではない。もうスキルは一定レベルに到達しているはずなので、それよりも**「あなたに仕事をお願いしたい」と言われる状態を作るのが最優先事項**だ。

そのためには、SNSやYouTubeを使って影響力を高めること、電子書籍や本を出版すること、オフラインで人脈を構築することなどが効果を発揮する。これらすべての活動は「自分の価値を上げる活動」になる。僕自身もそうやって自分に影響力をつけてきたから、現在EXTAGE株式会社の広告塔として活動が成り立っている。SNSやYouTubeの発信についてはここで話すと長くなるので、次章で詳しい手順についてお伝えしよう。

「あなただから」と言われることを目指そう

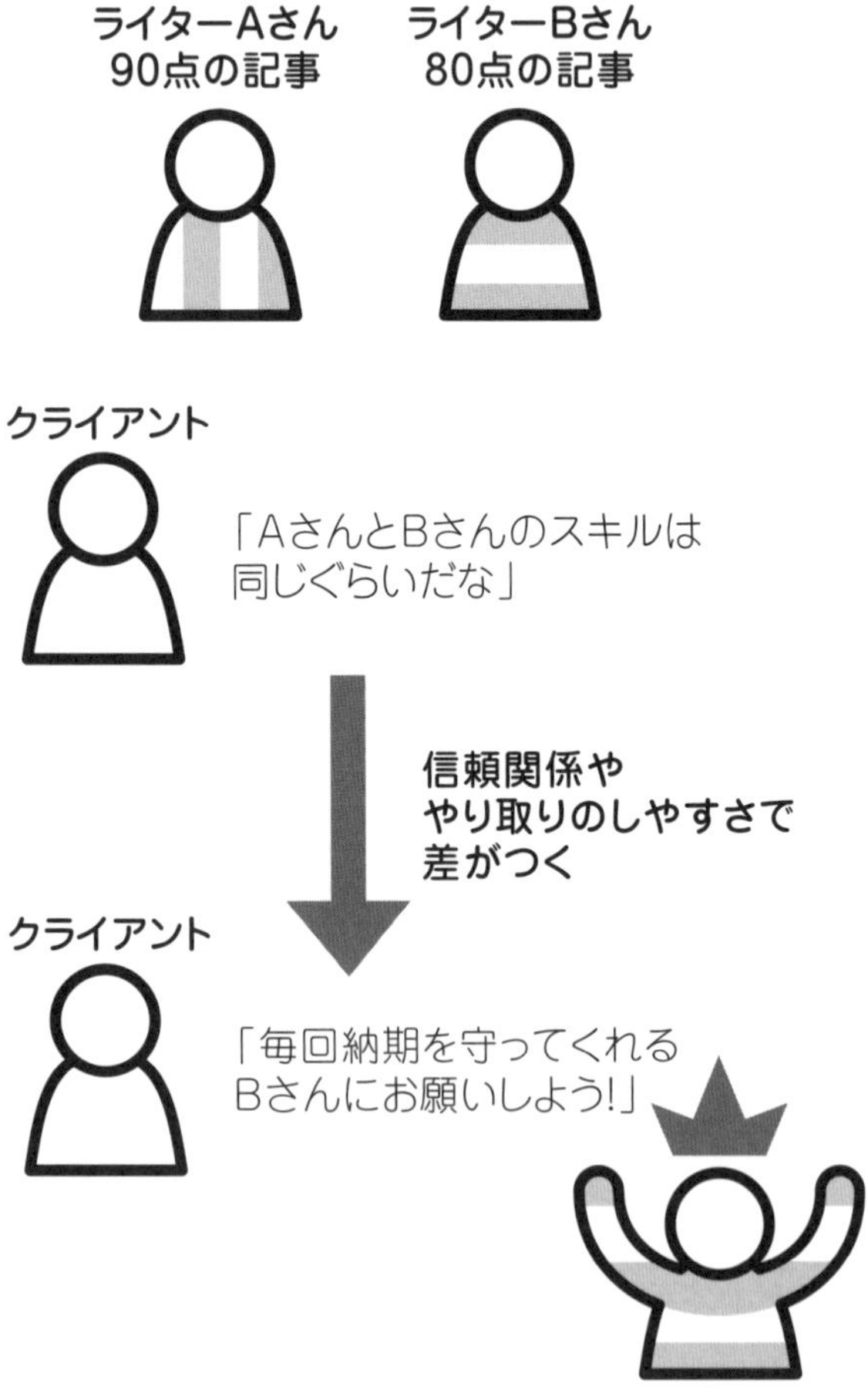
ライターAさん
90点の記事
ライターBさん
80点の記事
クライアント
「AさんとBさんのスキルは
同じぐらいだな」
信頼関係や
やり取りのしやすさで
差がつく
クライアント
「毎回納期を守ってくれる
Bさんにお願いしよう!」

「右腕を育てよう」「作業者を採用して仕組み作りをしよう」。偉そうにこんな話をしているが、**昔の僕は失敗ばかりして、仕組み化がスムーズにできたとは決して言えない。**今でこそ会社の事業は順調に回っているが、初めてライターを外注したときはものすごく忙しくて大変な思いをした。

「右腕を育てる」という意味では、げんさんのおかげで遠回りをせずに済んだ。僕が知っていることはすべてげんさんに教えた。その結果、ブログ、ライティング、リストマーケティング、ＳＥＯのコンサルティングなどの仕事を受注するようになり、副業の収入は順調に上がっていった。

しかし、複数の仕事をもらうようになってからは、僕とげんさんの2人だけでは仕事を回しきれなくなってしまった。そのタイミングで初めて「作業者への外注」を始めた。クラウドソーシングやＳＮＳを使ってライターを募り、記事の執筆を任せるようになったのだ。

外注しているメンバーを入れると、関係者は合計で10人ほどに増えた。ライターとは特に親しい関係ではなく、名前や顔を知っている程度だったが、当時は一人一人に動画でフィードバックをしていた。ライターが書いた記事をひとつずつチェックして、記事を書くコツや改善点を個別のオンライン面談で伝えていたのだ。Zoomを使って個別にフィードバックしていたので、多いときには1日に10件以上のZoom面談があった。

目先のことだけを考えると、外注しているライターに直接フィードバックするほうが手っ取り早く終わる。でもふとしたときに、**何度も同じフィードバックをしていることに気づいた。**Aさんには「PREP法を使って文章を書いてください。PREP法というのは結論、理由、具体例、結論の順番に書く方法のことです」とPREP法について解説し、翌日別のライターであるBさんにも同じ説明をしていた。延々と同じ説明を毎日繰り返していたのである。

マニュアルを作っていれば、何度もPREP法の説明をする必要なんてなかったのに……。当時の僕に会えるのなら「今のお前がやっていることは非効率すぎるから、早くマニュアルを作れ」と言ってやりたい。

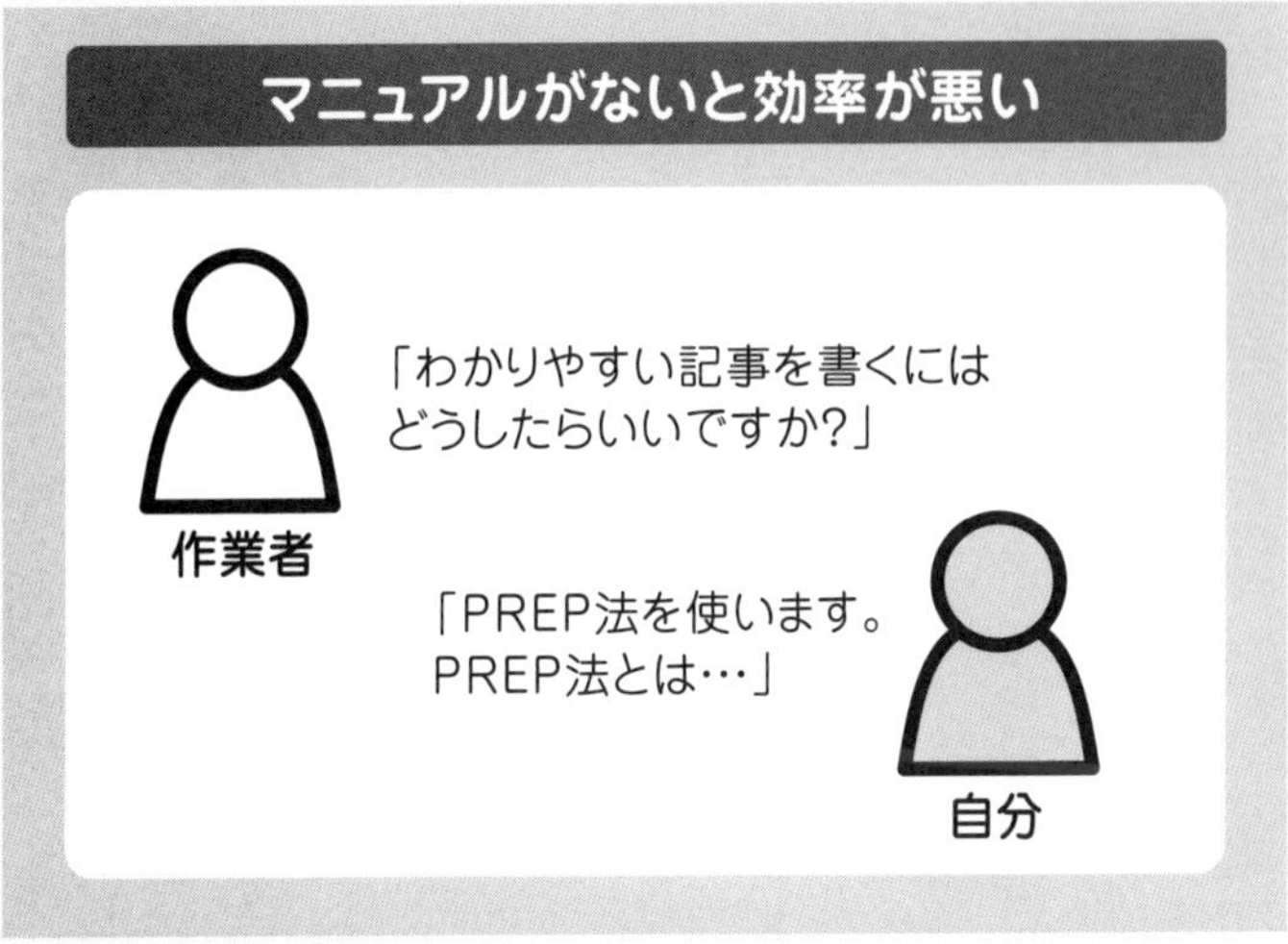
マニュアルがないと効率が悪い
「わかりやすい記事を書くには
どうしたらいいですか?」
作業者
「PREP法を使います。
PREP法とは…」
自分

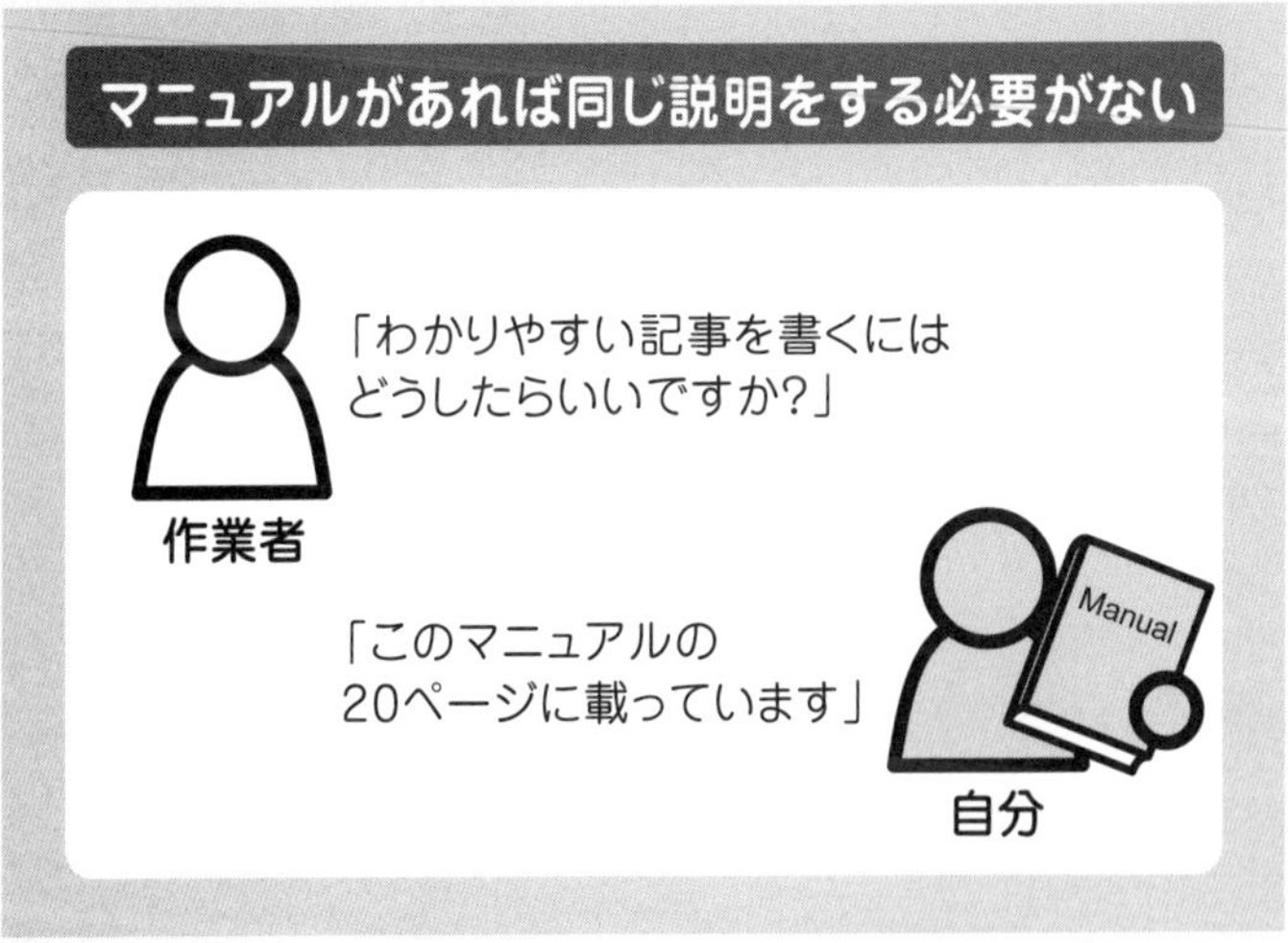
マニュアルがあれば同じ説明をする必要がない
「わかりやすい記事を書くには
どうしたらいいですか?」
作業者
「このマニュアルの
20ページに載っています」
Manual
自分

この出来事から、僕はマニュアルの必要性を痛感することになった。マニュアルがあれば、外注しているライターに「この内容を見ておいてください」と言えば十分だ。個別のフィードバック時にＰＲＥＰ法の解説なんてする必要はない。

さらにマニュアルがあれば「ライターとのやり取り」を右腕に任せられる。マニュアルに沿って指示を出せばいいので、僕が毎回対応する必要はない。いつでも辞書のように使えるマニュアルがあれば、右腕が困ったときに解決法を見つけることもできるだろう。

マニュアルを資産にする

外注しているライターに何度も同じフィードバックをする。この状況を脱却するために、僕はマニュアルを作ることにした。記事の書き方やクライアントとのやり取りのコツ、営業の手順など、知っていることを全部盛り込み、渾身《こんしん》のマニュアルを作った。と同時に、ある考えがひらめいた。「これを自分のコンテンツにすればいいのでは？」。

1対nにフィードバックしてコンテンツを作る

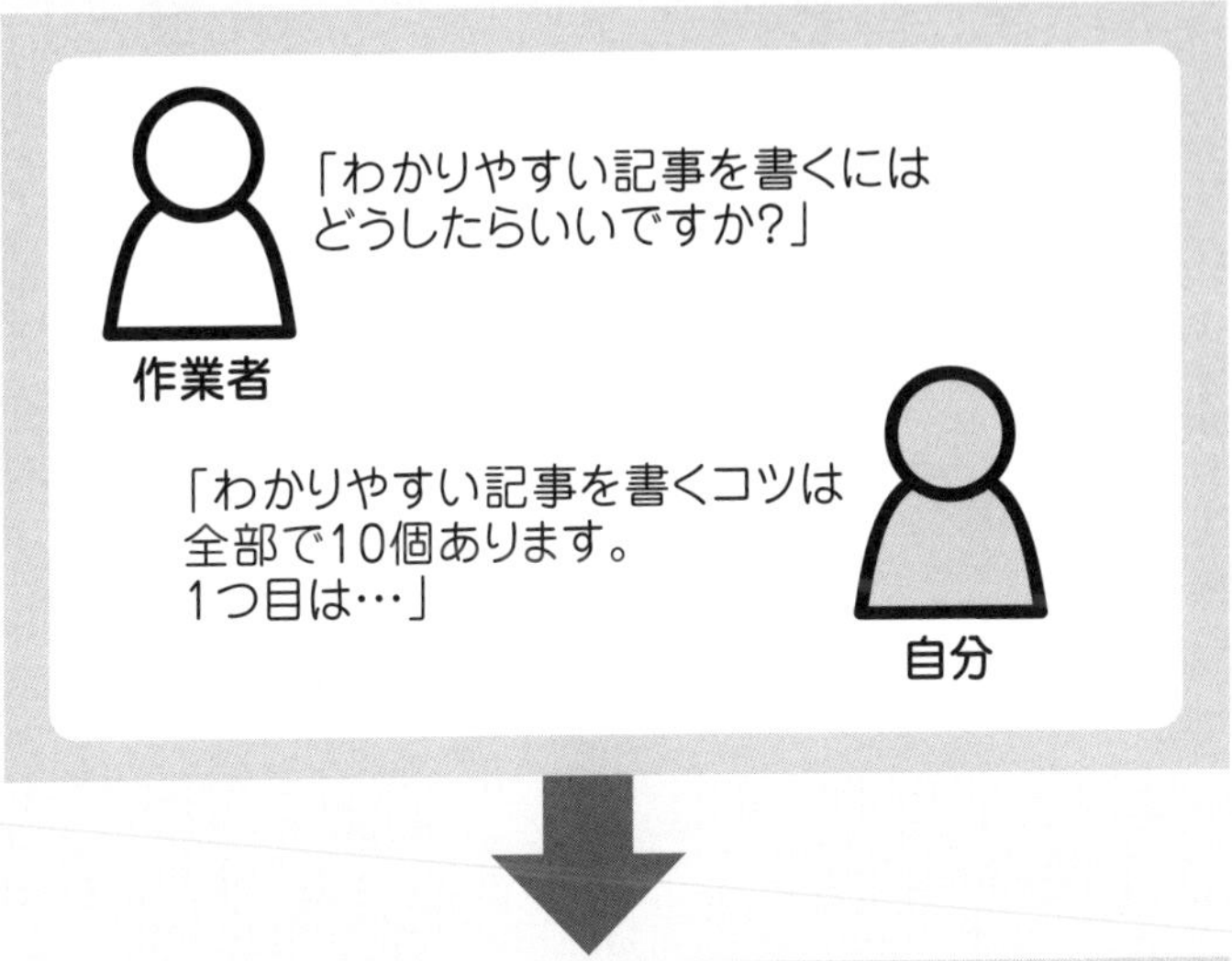
「わかりやすい記事を書くには
どうしたらいいですか?」
作業者
「わかりやすい記事を書くコツは
全部で10個あります。
1つ目は…」
自分

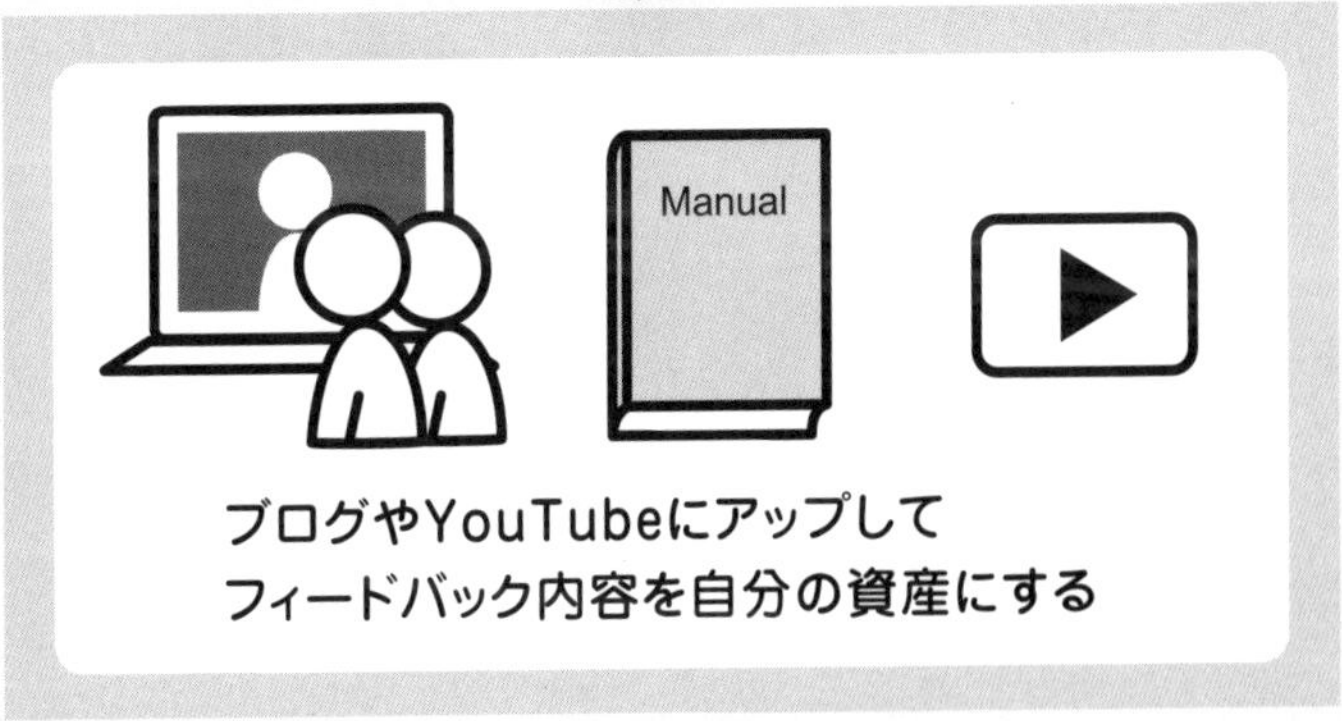
Manual
ブログやYouTubeにアップして
フィードバック内容を自分の資産にする

1対1で情報共有するよりも、1対nに共有すればよりたくさんの人に見てもらえる。**そこからフォロワーが増えたり、アフィリエイトの収益や広告収入が発生したりすれば、自分の資産になる。**

このような流れで、マニュアルにまとめた内容をアレンジして自分のブログやYouTubeにアップした。せっかくマニュアルを作るのなら、自分の資産にしないともったいない。1対1ではなく、1対nに見せることを想定して作ったほうが、はるかに効率がいいのだ。

toB事業を断念

法人を作ったばかりの頃、僕はtoB(=対法人)の案件を受注して、SEOコンサルティングやWebのコンテンツ作りをしようと考えていた。toC(=対個人)のようなライターの仕事を請け負うよりも、toBのほうが単価は高く、できることの幅が広がるからだ。億を稼ぐのなら、toB事業は必須だと考えていた。

ただ、げんさんと周りにいる外注メンバーだけでは圧倒的に手が足りない。当然SEOのコンサルティングやWebコンテンツ制作となると、初心者がすぐにできるものではない。ある程度基礎スキルがあって、さらに付加価値を提供できるような人でないと回せない仕事だ。

かといって、コンサルティングができるほどの優秀な人材をすぐにリクルートしても、仕事がうまく回るとは限らない。**スキルがある人材を見つけたとしても、その人が本当に信頼に足る相手かどうかは、長く付き合わないとわからないものだ。**前段で人を選ぶ基準として「少なくとも1年、理想は3年以上の付き合いがあって信頼できる」「自己評価と実態が合っている」「建設的なコミュニケーションが取れる」ような相手を選ぶといいとお伝えした。この基準にたどり着いたのは、僕自身が採用で何回も失敗をしてきたからだ。

3つの基準に当てはまらない相手と仕事をしたときは、すべてうまくいかなかった。1年くらいならフィーリングで乗り切れるが、それ以上となると難しい。いくらスキルが高い相手でも、3つの条件を満たさない相手なら採用しない。

当時は今のように「人を選ぶ基準」を言語化できていなかったが、なんとなくで人を採用するのはリスクだという考えはあった。

このように、さまざまな観点から「現時点で、toB事業にコミットして億を稼ぐのには無理がある」と判断した。よって、toBの事業は初年度に立てた3カ年計画から除外することにした。

人材バンクを作る

「会社で人材バンクを作ろう」と考えたのはこのときだ。当時の僕にはまだ右腕が一人しかいなかったが、**優秀な人が集まる人材バンクができれば、優秀な右腕を複数人育てることができる。**そうすれば、toBの案件が増えても対応できるはずだ。

そうして立ち上げたのが、今の「EXTAGE WORKS」の前身となるコミュニティである。LINE公式アカウントから参加者を募り、グループコンサルやサポート付きの講座を受講してもらう。そして無事に卒業した受講生は仕事を受注できるようになる……

という仕組みだ。現在は600人以上の受講生を抱え、SEOコンサル、ライティング、リストマーケティング、動画編集、マーケティング支援など複数事業を展開できるようになった。受講生の中から、実質右腕となり事業責任者になったメンバーもいる。

現在は新たな事業を立ち上げる傍ら、50人程の営業部隊を作ってtoBの案件を受注できるようになった。起業した初年度には断念したことが、ようやく実現できるようになったのだ。「優秀な人を集めて人材バンクを作ること」を目標に掲げて活動してきたからだ。

僕はたまにYouTuberと呼ばれることがあるが、YouTubeを運営するのは、単に広告収入を得てお金儲けをするためではない。動画を見てくれた意欲のある人の中から、**一緒に働くメンバーを見つけたい**からだ。最初は難航したメンバー探しにも今は困らなくなり、小さな経済圏ができている。あなたにも同じように、同じ目標に向かって伴走するメンバーを見つけてほしい。

HOW TO EARN

¥500,000,000

第4章

小さな経済圏（コミュニティ）を作る

最終章のテーマは「**小さな経済圏を作る**」だ。具体的には、人材採用のために自社商品を作る手順を紹介する。例えば僕は「EXTAGE WORKS」というコミュニティを作り、ライティングや動画編集などWeb系のスキルを高めるための講座を展開している。このような自社商品を買ってもらい、スキルを高めて卒業した受講生に仕事を発注して、事業を回す仕組みになっているのだ。

ライティング講座など、フリーランスで独立するための商品を売る人はたくさんいる。ただ、売りっぱなしになって次につながらない商品もよく見かける。

たしかに商品を売ったら一時的な売り上げアップにはなるが、一時的なものなので恩恵は長くは続かない。**それだけではなく、自分の理念に共感してくれて、一緒に成長できるメンバーを見つけて採用するのが、商品を売るメリットだ。**メンバーが増えれば事業を回すための人材採用には困らなくなる。講座や交流会を通して理念や目標を繰り返し伝えれば、似た思想を持つ人材が集まるのだ。そして、受講生は自社商品となる講座を通してスキルアップできるので、優秀な人材を育てることも可能になる。

僕はこれまで人材採用に困っている経営者をたくさん見てきた。「人材を募集しても条件に合う人が見つからない。ただ人がいないと事業が回らないので、条件に合わない人材でも歯車として採用するしかない」という話をよく聞く。特に中小企業にはよくあることだ。

だが、本章で紹介する内容を実践すれば、そのような事態に陥るのを防げる。**優秀な人材に「お金を払ってでも貴社で働きたい」と言われるような状態を作れるのだ。**

本書では「小さな経済圏を作る」という言葉を繰り返し使ってきた。ネットで商品を売る人は、ほとんどがお金を稼ぐことを目的にしている。だが、僕は「人が集まること」が商品を売る最大の価値だと思っている。

自分の周りにお金があるよりも「自分の周りに仲間がいる生き方」のほうが面白い。死ぬときに「たくさんお金を稼いだ」ではなく「自分の周りにはいい仲間がたくさんいた」と思える生き方をしたい。お金は、ほどほどに好きなことができる額があれば十分だ。

ただ、副業をしていた時期はとにかく「個人でお金を稼げるようになって脱サラしたい」という気持ちしかなかった。今の考えに至ったのは随分後のことだ。

あなたも同じ考えを持つべきとは言わない。だが、お金を稼ぎたいのなら「その先に何をしたいのか」も考える時間を取ってみてほしい。単なるお金稼ぎをするだけでは、人生が充実するとは限らない。僕は人生を楽しむ選択肢のひとつとして、商品を売って人を集め、小さな経済圏を作ることを提案したいと思っている。

属人性を高める

72 □ X（もしくはInstagram）でお役立ち情報を発信する

73 □ YouTubeでお役立ち情報を発信する

74 □ 名前や顔を公開する

75 □ 自分の姿や話し方が見える発信をする

76 □ XからYouTubeへの動線を作る

77 □「近所のお兄さん・お姉さん」の立ち位置を目指す

78 □ 反応をもらうための戦略を練る（例：個別コンサル）

自社商品を作る

79 □ 売れる商品がない場合は、スキルと実績を磨く期間を設ける

80 □ クライアントワークと並行して商品を作る（例：Webライターで独立するためのライティング講座）

81 □ 収益より人材採用を第一目的に置く

82 □ 購入者がスキルアップできる商品を作る

83 □ 購入者のなかから、右腕や作業者を育てることを前提にする

84 □ 徹底的にサポートする商品を作る
（例：Zoomを使ったサポート、記事添削会、グループコンサル）

85 □ 最低20万円以上の価格設定をする

集客：SNSやYouTubeを使う

86 □ XとYouTubeで発信する

87 □ 視覚的な情報を発信して濃いファンを作る

88 □ Xとかけ合わせて拡散性を活用する

89 □ お役立ち情報を継続発信して「信頼残高」を貯める
（例：Webライティングの長尺動画）

90 □ 時代に合った価値ある情報を届ける

教育：LINE公式アカウントを活用する

91 □ LINE公式アカウントを始める

92 □ YouTubeでLINE公式アカウントの案内をする

93 □ 登録者に向けて、限定動画を配信するシナリオを組む

94 □ 角度を変えて1本あたり20分前後の動画を5本制作する

95 □ 5日間にわたってWebライティングにまつわる限定動画を配信する

96 □ すべての動画の最後に商品を紹介する

販売：セミナーを実施してクロージングする

97 □ LINE公式アカウントの読者に対してオンラインセミナーを実施する

98 □ 体系立てた話をする

99 □ セミナーの概要を伝える

100 □ 成果を出すマインドの話を伝える

101 □ 成果を出す手順を伝える

102 □ 一緒におこなうワークの時間を作る

103 □ 商品を紹介する

104 □ 成約率を高めるクロージングをおこなう

105 □ セミナーの冒頭で「最後におすすめのコンテンツを紹介します」と話す

106 □ 戦略的に価格を下げる（例：限定価格の設定）

107 □ 思いや夢を伝えて、再度価格を下げる

小さな経済圏を作る

108 □ 商品の購入者のサポートをしつつ、スキルアップの手伝いをする

109 □ 購入者のなかから右腕や作業者を増やしていく

110 □ クライアントワークを大きくして事業にする

HOW TO EARN
¥500,000,000

SNSアカウントを育てる

属人性に頼る

自社商品を作って売るための最初の準備は、SNSアカウントを育てることだ。なぜSNSを育てる必要があるかというと、**事業作りで一番効率よく売り上げを伸ばす方法は「属人性に頼ること」**だからだ。属人性とは「特定の個人に依存する状態」を指す。

例えば会社の業務が特定の社員に依存すると、「この業務は属人性が高くリスクがある」と言われることがある。一般的には「属人性」はネガティブに捉えられやすい言葉だ。しかし、商品を売る際には爆発的な効果を生む劇薬になる。

マーケティングでは、人が商品を買うタイミングは「感情が動いたとき」と言われる。SNSを使って属人性を育てれば、「この人は信頼できる。この人が作ったものを買いたい」という感情が生まれやすくなるのだ。僕の会社であるEXTAGE株式会社では個人のWebスキルを高める講座を売っている。その受講生のなかには、「講師が○○さんだから購入した」「この人から個別サポートを受けたいから買った」という人が数多く存在する。

つまり、SNSをうまく育てれば自分のファンを作ることができるのだ。これがSNSアカウントを育てるもっとも大きな理由である。

SNSを育てると自分のファンができる

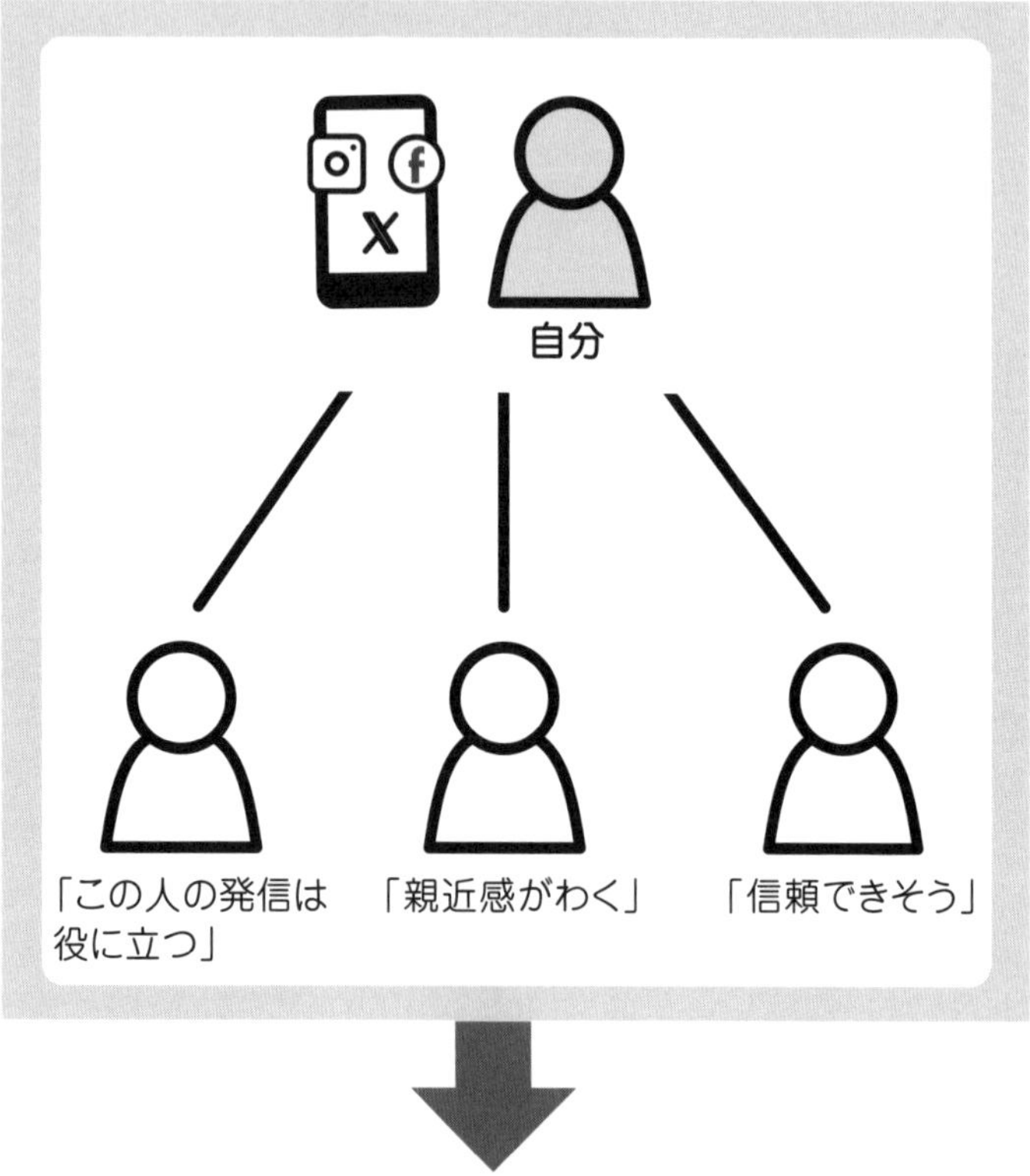
自分
「この人の発信は役に立つ」
「親近感がわく」
「信頼できそう」

属人性を育てると「○○さんが作ったものを買いたい」と思ってもらえるようになる

属人性はリスクでもある

属人性は、爆発的な売り上げを叩き出す劇薬になる。**ただし、長期目線で事業を継続するのにはあまり効果がない。**自分自身にファンができた状態で商品をリリースすれば、その直後は商品が飛ぶように売れる。しかし、初速のスピードが一生続くわけではない。さらに経営の観点から見ると、属人性の強いサービスほど、事業としてのリスクも高くなる。言い換えると**「特定の個人がいなくなったら事業が成り立たない会社」**になるのだ。そんな会社を買収したいと思う経営者はいないはずだ。リスクがある事業にわざわざお金を出す投資家もいないだろう。

属人性の効果を狙って商品を売っても問題ない。しかし、その後はサービスや会社自体に価値を移していくのが理想だ。例えば僕の場合は、最初は「しかまるＷｅｂスクール」というペンネームを使ってＹｏｕＴｕｂｅを運営していたが、今は「ＥＸＴＡＧＥ ＷＯＲＫＳ」という組織名を記載している。チャンネルの影響力を僕個人ではなくＥＸＴＡＧＥ株式会社に移したいからだ。そうすれば、僕が死んでも個人に依存することなく、事業が回る仕組みになる。どんな状態でも事業が回るようになれば、組織や株式そのものに価値が生まれる。

ここまでの話を簡単にまとめよう。SNSアカウントは、属人性の効果を使って爆発的に売り上げを伸ばす効果がある。これから自社商品を売るのなら、SNSアカウントを育てることは必須といっても過言ではない。ただ、属人性の効果が一生続くわけではない。事業を長く続けるためには、属人性を排除して「個人がいなくなっても事業が回る状態」を作る必要がある。だから、事業という目線で考えたときにSNSだけを使うのはリスクだ。会社そのものに影響力を移して、会社としての価値を高めていくことも意識しよう。

SNSとYouTubeをかけ合わせる

SNSを育てるときは、YouTubeとかけ合わせるのが理想だ。**なぜならYouTubeは自分の姿や声に直接触れてもらえるからである。**前段で「SNSは自分のファンを作るツールになる」とお伝えした。XやInstagramで文章だけの発信をしてもファンはできるのだが、自分の濃いファンを作るためには、外見や話し方を見てもらうのが一番効果がある。文章だけでは伝わらない外見や人柄を見てもらいやすくなるからだ。

例えば僕はYouTubeでブログやライティングなどWeb系のスキルにまつわる発信をしている。最初は副業で発信をしていたため仮面を被《かぶ》っていたが、会社をやめて顔出ししてからは一気にファンが増えたように思う。「たくさんが仮面を外してから動画を見るようになりました」と言われることも増えた。

このように、匿名や顔出しをせずにYouTubeで発信するチャンネル運営者はたくさんいるが、姿や話し方を見てもらうことで、より自分らしさが伝わりやすくなる。僕の場合は熱量が高い話し方や、1時間の長尺動画で詳しい解説をしていることが特徴と言えるだろう。

僕は日頃XとYouTubeに特に力を入れていて、主にXからYouTubeにアクセスしてもらうことを目的にしている。このようにSNSとYouTubeをかけ合わせると、あなたのファンは増えやすくなるはずだ。

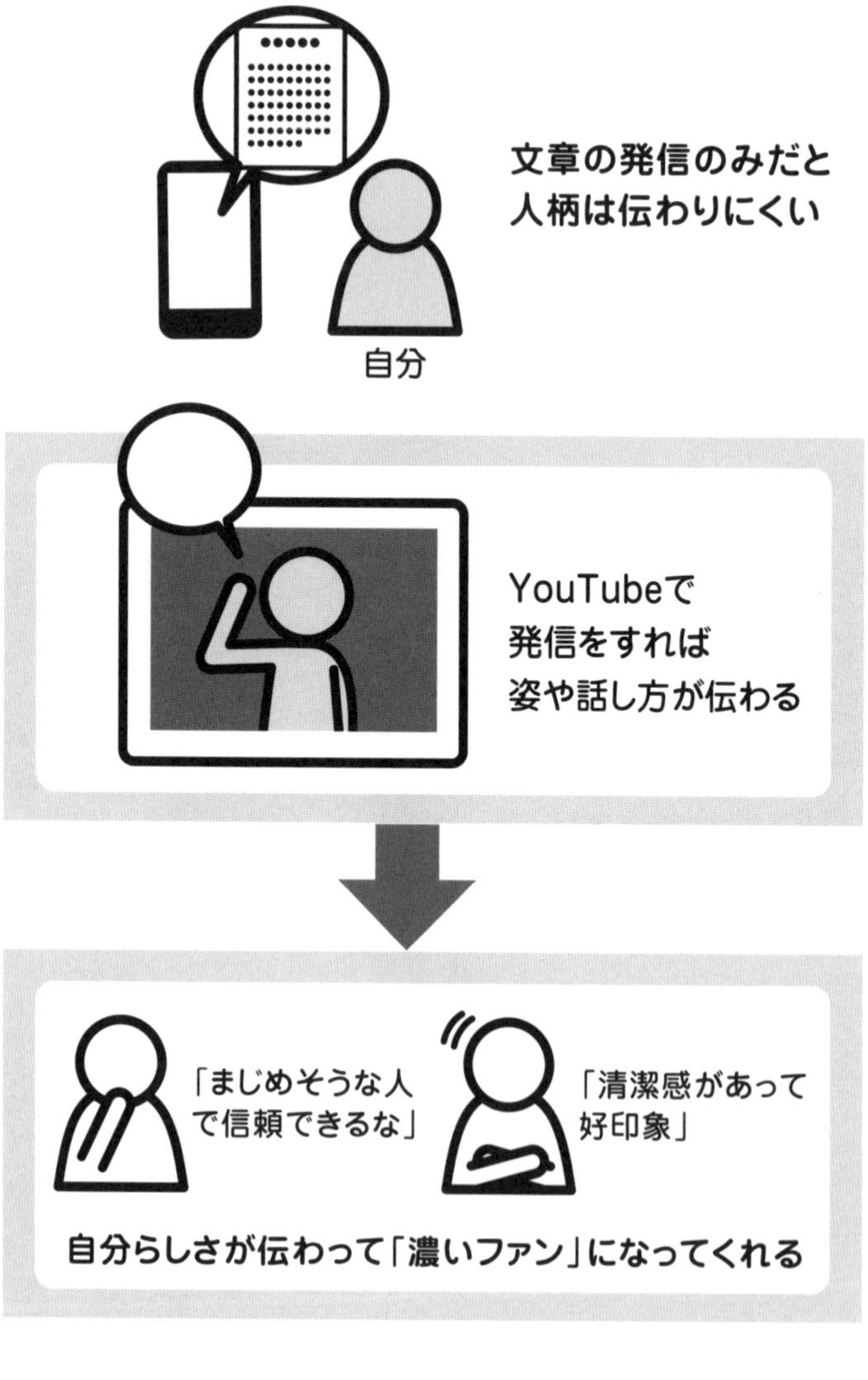
文章の発信のみだと
人柄は伝わりにくい
自分
YouTubeで
発信をすれば
姿や話し方が伝わる
「まじめそうな人
で信頼できるな」
「清潔感があって
好印象」
自分らしさが伝わって「濃いファン」になってくれる

各SNSの特性

「SNSアカウトを育てる」といっても、どのSNSを使えばいいか迷う人もいるかもしれない。そこで、それぞれのSNSとYouTubeの特性について紹介しよう。XとInstagram、YouTubeの特性について簡単にまとめると以下の通りである。

X：テキストのみなので濃いファンを作りにくい

Instagram：テキスト、画像、動画など複数機能があるので、ある程度ファンを作りやすい

YouTube：姿や話し方を直接見せられる。長尺の動画をアップしてしっかり学習してもらうこともできるので、濃いファンになりやすい

このように、SNSにはそれぞれの特性がある。X単体だと濃いファンは作りにくいが、自分を知ってもらう入口として使う分には問題ない。それにXは140文字のテキストを作って簡単に投稿できるので、発信の練習として使ってもいいだろう。

Instagramは、XとYouTubeの中間のようなイメージだ。普段は画像や文章を使った投稿をして、ときどきインスタライブをおこなって自分の姿や話し方を見てもらうとファンを作りやすいだろう。

YouTubeは先ほど述べたように、姿や話し方を見てもらえるのでもっともファンを作りやすい。ただ動画の収録や編集の手間がかかるので、頻繁に動画を作るのは大変かもしれない。XやInstagramとかけ合わせて使うのがおすすめだ。

SNSを選ぶときは、使いやすさや「姿や話し方の見せやすさ」を意識しよう。僕はXとYouTubeの2つに注力しているが、使いやすいのであればInstagramでも問題ない。

SNSは事業の広告代わり

ここで少しSNSは事業の広告代わりになる、という話をしよう。一般的に企業が売り上げを伸ばそうと思ったら、費用をかけて広告を出すような「多くの人の目に留まる方法」を考えることになる。例えばよくあるのは、ネットの広告や電車の広告、ビルの看板の広告といったものだ。当然これらの広告を使うのにはお金がかかるので、相当のリターンが得られることを考慮しなくてはいけない。

しかしSNSを広告代わりとして活用すれば、同じような考え方をする必要はない。僕は日頃からブログやライティングなど、Web系のスキルを使って個人で稼ぐための情報を発信している。すると「有益な情報を今後も見たい」と思った人がフォローしてくれ、商品を出したときに買ってくれるのだ。

つまり運用費0円で広告を回して、多くの人の目に留まり、サービスを買ってもらうことが可能になるのである。SNSを使えば広告にかかる固定費がなくなり、利益率が上がりやすくなる。このように、事業を作ることにおいてSNSを広告として使うのは非常に有効だ。

「たくさんの人に見てもらうなら
ネット広告や電車広告が
効果的かな」
企業の広報担当者
しかし、広告枠を使うのには費用がかかる
X
SNSを事業の広告代わりとして使えば、運用費はゼロ
たくさんの人の目に留まり、商品を買ってもらえる

「近所のお兄さん」的立ち位置

SNSを育てよう、という話をすると「どのようにアカウントをブランディングすればいいですか？」と質問をいただくことがある。ブランディングというとハイブランドのようなイメージを思い浮かべる人が多いかもしれない。たしかに、カリスマ性のある発信をしてファンを集めるアカウントもある。ただそれは万人ができることではない。

どちらかというと、**取っつきやすい「近所のお兄さん、お姉さん」のようなイメージが理想**だと僕は思う。月数千万稼ぐカリスマの発信はたしかに夢があるかもしれない。しかし、「副業で月10万円稼ぐ近所のお兄さん」から聞く話のほうが、より現実的で「自分にもできそう」と思えるのではないだろうか。

僕も含めて、一般人はすぐにはカリスマになれない。だから、SNSを育てる最初の目標は、「この人から話を聞きたい」と思われる近所のお兄さんになることだ。**すごい人になるのではなく、身近な誰かとして役立つ話を提供できる人になることを目指そう。**

何を発信すればいいのか？

ただ「とはいえ、どうアカウントを育てればいいのか？」という疑問が湧いてくると思うので、アカウント設計のヒントについてもお伝えしよう。まずはニーズがあるテーマについて発信をすること。当然だが、有名人ではない一般人の「今日の出来事」について知りたい人はいない。あなたが「今日はスターバックスで作業しました」と投稿しても、まずアカウントが伸びることはないだろう。なぜなら「あなたのことを知りたい」というニーズはないからだ。

したがって、自分の経験や知識があるジャンルから、ニーズがある情報を発信するのが、SNSの王道の発信スタイルだ。例えば僕は副業ブログで稼いだ実績があったので、ブログでの稼ぎ方やライティングのポイントについて発信することから始めた。他の人のニーズを捉えて、役に立つような情報を発信していくと、SNSは伸ばしやすくなる。

エンゲージメントを高めるには?

SNSを伸ばすのなら、自分の経験したことや知識がある分野で、ニーズがある情報を発信するのがおすすめだと紹介した。**ただ今の時代に、お役立ち情報を発信するだけでSNSアカウントを伸ばすのは難しい。**例えば、Xで長々とブログで稼ぐ手順を紹介しても、すべてのフォロワーが読んでくれるわけではない。逆に文章が長すぎると、エンゲージメント(投稿に対するいいねやリポスト、コメントなど反応をもらった回数)が下がる可能性もある。

それに加えて、「誰だかわからない匿名アイコンのアカウント」がそれらしき情報を発信しても、信頼されにくくなっているのが現状だ。SNSの発信者が増えて、皆が同じような情報を発信するようになったのも背景のひとつだろう。**つまり、他のアカウントに埋もれずに、いかに自分のアカウントの信頼性を高めるかが重要なのだ。**

他のアカウントに埋もれないためには「他の人と同じことをしない」という考えが大切だ。

例えば僕は、単純にXの投稿を増やしてもフォロワーや自分のファンは増えないと思ったので、「無料の個別コンサル企画」を立ち上げた。ブログやライティングで稼ぎたい人を募って、100人以上とZoomを使った個別コンサルをした。1人につき1時間のコンサルだったので、僕の工数を100時間以上割くことになった。

しかし、1時間徹底的にコンサルをおこない、相手のサポートをしたことで僕のアカウントのエンゲージメントは飛躍的に上がった。**他の人がやらないような施策を打ったことにより、僕のアカウントに濃いファンができてSNSアカウントも伸びたのである。**

SNSの発信者は今も増え続けているので、生き残るためには工夫する必要がある。特にXでは、思考停止して皆同じようなことばかり投稿しているように思う。エンゲージメントを高めるためには、他の人がやっていないことに挑戦することも視野に入れてみよう。

有名人がSNSを始めると
一瞬でアカウントが育つ
影響力のない人が
闇雲に投稿を続けても
アカウントは伸びない
……
一歩引いた視点で
戦略を考えよう
× 皆と同じことをする
◎差別化できる
方法を探す

SNSはゲームと考える

前段でお伝えしたとおり、SNSアカウントを育てる鍵はエンゲージメントである。**例えばXならリポスト、コメントといった「投稿に対する反応」をどれだけ増やせるかを競うゲームなのだ。**反応が増えれば、反応した人のタイムラインに自分の投稿が見えるようになり、さらにたくさんの人の目に留まる可能性が上がる。

前提として、ある程度フォロワーが多いアカウントであれば、「この人の言っていることは正しいのだろう」と思われやすいのでエンゲージメントは上がっていく。しかし、フォロワーが少ない段階でそれらしきことを言ってもエンゲージメントは上がらない。本名や顔がわからないアカウントであればなおさら、いくらいいことを言っても反応をもらえる可能性は低い。

このゲームで勝つためには、いかにスクロールを止めて自分の投稿を見てもらうか？を考える必要がある。SNSを始めたばかりの初心者がエンゲージメントを高めるには、

「とにかく投稿量を増やす」「ものすごく手の込んだコンテンツを作る」「他の人と同じようにそれらしき有益な情報を言う」、基本的にはこのどれかを選ぶしかない。ただ、正直どれも時間効率の面では悪いと言わざるを得ない。

このような状況を踏まえて、僕は「100時間かけてでも、個別コンサルをして100人のエンゲージメントを得るのがもっともコストパフォーマンスが高い」と判断した。

ここでお伝えしたいのは**「周りがやっていること、皆がやっていることは今後廃れていく可能性が高い」**ということだ。

自分がその中に埋もれないためには、俯瞰《ふかん》して一歩引いた視点を持つことも大切だ。僕の場合は、SNSのエンゲージメントを高めるためにやるべきことを感情抜きでノートに書き出した。そして、もっとも効率のいいものをピックアップしたら、100人の個別コンサルをすることになった。

周りがやっていることが正解だとは限らない。本当にその方法で成果が出るのかどうか、一歩引いた視点を持って方向性を決めよう。

HOW TO EARN

¥500,000,000

自分のスキルを教える自社商品を作る

なぜ自社商品を作るのか？

ここからは自社商品を作る話をしよう。自社商品を作る目的のひとつは、言わずもがな売り上げを伸ばすためだ。億を稼ぐのなら、アフィリエイトや広告などを経由して「他の人の商品」を売るのではなく、利益率の高い**「自分で作った商品」を売る必要がある。**

そしてもうひとつの目的は、人材を採用することだ。Ｗｅｂライターなどのいわゆるクライアントワークをして一定以上のスキルが身につくと、一人では仕事を回しきれなくなるタイミングがくる。だから第3章では「自分の事業を作っていく右腕を育てよう」という話をした。しかし右腕と数人の作業者だけでは、回せる案件の数に限界がある。右腕と作業者が抜けてしまうことや、優秀な人材が見つからないなどの問題も起こるだろう。そういった問題を解消するために、自社商品を作って人を採用するのだ。

自社商品は、今まで自分が培ってきたスキルを人に教えるような講座形式が理想だ。その講座を受講してスキルアップした人材を、自分の組織に入れていく。そうすればあなたの理念に共感してくれて、スキルのある人材を採用できる。

大枠の説明はこのくらいにして、具体的な話に移ろう。自社商品を作る際に押さえるポイントは3つある。

❶スキルと実績を磨く期間を設ける
❷収益より人材採用を第一目的に置く
❸徹底的にサポートする商品を作る

それぞれ詳しく見ていこう。

❶スキルと実績を磨く期間を設ける

自社商品の作り方をお伝えする前に、前提の話をしておきたい。僕は自社で展開している講座の受講生から「商品を作りたいのですが、売れるものがないんです」という質問をもらうことがある。大抵の場合は「今の能力値で売れる商品がある、と思わないほうがいいですよ」と回答する。厳しく聞こえるかもしれないが、自社商品の効果を最大化するために大事な話なので、心して読んでほしい。

そもそも「商品を作りたいけれど売れるものがない」と思う理由はなぜだろうか？　おそらく、**十分なスキルや実績がないから**ではないだろうか。例えばWebライターとして月100万円をコンスタントに稼いでいる実績や、大手メディアで連載を持つような文章力がある人なら、自信を持ってそのノウハウを人に教えられるだろう。十分な実績やスキルがある人なら、「自分に売れる商品はない」という発想にはならないはずだ。

言い換えると、胸を張って人に教えられるものがないのなら、商品を作るのはまだ早い。**商品作りで悩むのは、自分自身を磨いてこなかったツケなのだ。**過去の僕もそうだが、勉強せずに何のスキルも持ち合わせないまま、なんとなく会社員を続けていた。その状態では、売れる商品がないのは当然である。

しかし、YouTubeやXには、このようなパターンで自社商品を作る人がごまんといる。十分なスキルや実績がないのに、稼ぐことを第一目的として自社商品を作ってしまうのだ。実績やスキルがないのに商品だけ作っても、その効果は長くは続かない。一時的に売り上げは伸びるかもしれないが、長期的に見ると数字は下がる一方だろう。すると「また商品を作って売り上げを回復させよう」という発想になる。そして一時的に売り上げが伸びた、ひとつ前の商品の実績をアピールしつつ、SNSで延々と同じような投稿をすることになる。

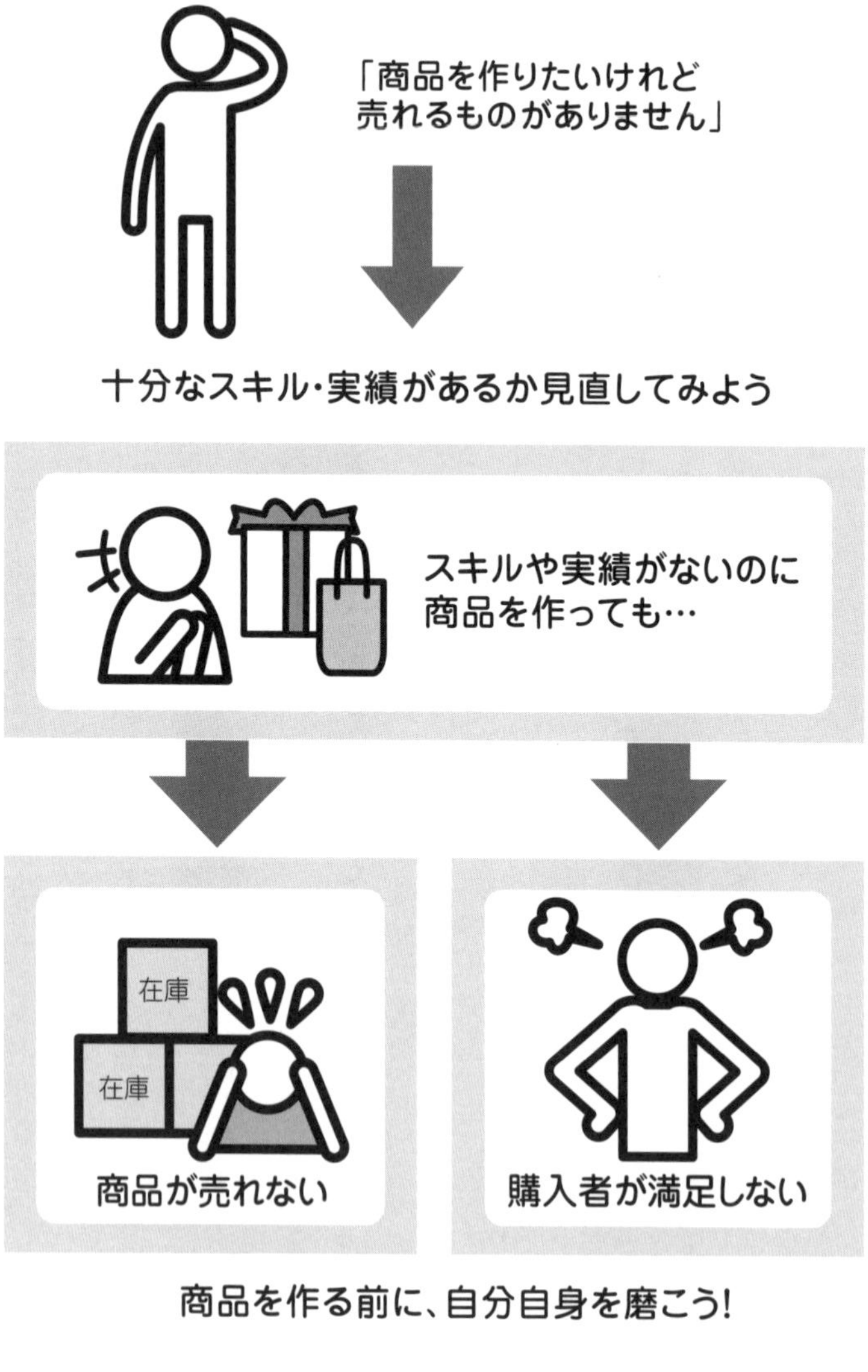
「商品を作りたいけれど
売れるものがありません」
十分なスキル・実績があるか見直してみよう
スキルや実績がないのに
商品を作っても…
在庫
在庫
商品が売れない
購入者が満足しない
商品を作る前に、自分自身を磨こう!

厳しく聞こえるかもしれないが、「実績やスキルがないのに商品を売ろうとする考えは甘い」と思う。その前に、半年くらいかけてでも今一度スキルと実績を磨く期間を設けるべきだ。相談会でこのような話をすると、悲しそうな顔をする人が多い。だが僕は「あなたなら商品を作れますよ！」と、表面上のアドバイスをしたくない。無理してスカスカの商品を作っても、売った人と買った人、どちらも得るものがないからだ。

誰でも簡単に自社商品が作れるのなら、皆が独立して億万長者になっているはずだ。本書を読んでいるあなたには、中身のない情報商材を売るようなことはしてほしくない。自分に実力をつけて、自信を持ってステップアップしてほしい。

「クライアントワーク」と「自社商品作り」

もしここまで読んだあなたが「自分には商品にできるようなものはない」と思うのなら、一度ページをめくる手を止めて、これからどうスキルと実績を磨くのか考えよう。

とはいえアイデアが思い浮かばない人もいると思うので、僕の考える理想の手順を紹介する。

- Ｗｅｂライターのようなクライアントワークで結果を出して、個人で稼ぐスキルを身につける
- 「Ｗｅｂライターで独立するためのライティング講座」のような、スキルを教える自社商品を作る
- 自社商品の購入者のなかから人材を採用して、クライアントワークの事業を大きくする

このような流れにすれば、スキルや実績がある状態で商品を作ることができる。Ｗｅｂライターのような特定のスキルは他の人にも応用が利くものなので、商品にもしやすい。

このときのポイントは、**クライアントワークと自社商品作りを並行しておこなうこと**だ。クライアントワークをやめて自社商品の制作、販売にシフトしても、売り上げが安定するとは限らない。商品を売るのには集客力、影響力、質の高さ、時代の流れ、市場の大きさなどさまざまな要素が絡みあう。

自社商品を作る理想の手順

①Webライターのような
クライアントワークをして
個人で稼ぐスキルをつける
②他の人にスキルを
教える商品を作る
My
Manual
③商品の購入者のなかから
人材を採用して、クライアント
ワークの事業を大きくする

つまり、**クライアントワークと自社商品作りを並行しておこなうと、収入がなくなる可能性が減る**のである。仮に自社商品が売れなかったとしても、クライアントワークをやめなければ売り上げが落ちることはない。ひとまず自社商品作りをストップして、クライアントワークで新たな結果を出せば、次に作る自社商品が売れるかもしれない。

逆に自社商品の売り上げが伸びれば、クライアントワークを徐々に減らすという選択肢も出てくる。順調に自社商品が売れればその分余裕が生まれるので、右腕の育成や人材採用に力を入れることもできるだろう。

同時並行で物事を進めるのは大変かもしれないが、収入の柱は多いに越したことはない。ひとつの柱がなくなっても別の柱で生きていく体制を作れれば、大きな失敗は避けられる。僕は副業で月300万円以上稼いでも会社をやめなかった。会社をやめたところで本当に売り上げが安定するのか、自信が持てなかったからだ。自社商品作りとクライアントワークを同時並行で進めれば、どちらかが失敗したときに備えて金銭面の不安を解消しやすくなるだろう。

❷収益より人材採用を第一目的に置く

繰り返しになるが、自社商品を作る際は「人材採用」を第一目的にしよう。クライアントワークで一定の成果を出すと人が足りなくなり、新たなメンバーを入れて仕事を回す必要が出てくるからだ。ただ、クラウドソーシングやＳＮＳで作業者を募集しても、自分と相性がいい人が見つかる可能性は低い。スキルの高い人材を見つけるのも難しいだろう。

だから**「スキルがあり、かつ自分と相性がいい人材を採用するためのツール」として自社商品を作る**のだ。「スキルがある」という点では、購入者に自分の商品を活用してもらう。「Ｗｅｂライターで独立するためのライティング講座」という商品を作って、Ｗｅｂライターというジャンルのスキルを受講生に教えるのだ。動画講義や個別サポートを通して、受講生のスキルを上げていけば、この点はクリアできる。

次に「自分と相性のいい人材」という点では、ＹｏｕＴｕｂｅやＳＮＳを使って集客をすることでクリアできる。例えば、僕の会社ではＷｅｂ系のスキルを学ぶ講座を提供していて、受講生は全員僕や講師のＹｏｕＴｕｂｅを見た後に商品を買っている。動画を見るというステップを踏めば、発信者の姿や話し方を事前に知ってもらえる。さらに性格や行動理念の共有もできるので、考え方が似た人が集まりやすくなるのだ。

これらを踏まえると、自社商品を作るメリットは明らかだろう。「自社商品を売りっぱなしにする」だけで終わらせるのはもったいない。**それだけではなく、人材採用を目的にすれば優秀なスキルのあるメンバーが自分の周りに集まる。そして、クライアントワークを回すメンバーに入ってもらえば、自分の事業が大きくなってさらに売り上げが伸びていく。**

商品作りのメリットは、単にお金を稼ぐことではない。人材採用を目的にすれば、それ以上の売り上げを伸ばすことも可能なのだ。情報商材屋と呼ばれる人たちのように、一時的に売り上げが伸びてその後は下降する……という状態も避けられるだろう。

人材を採用するために商品を作る

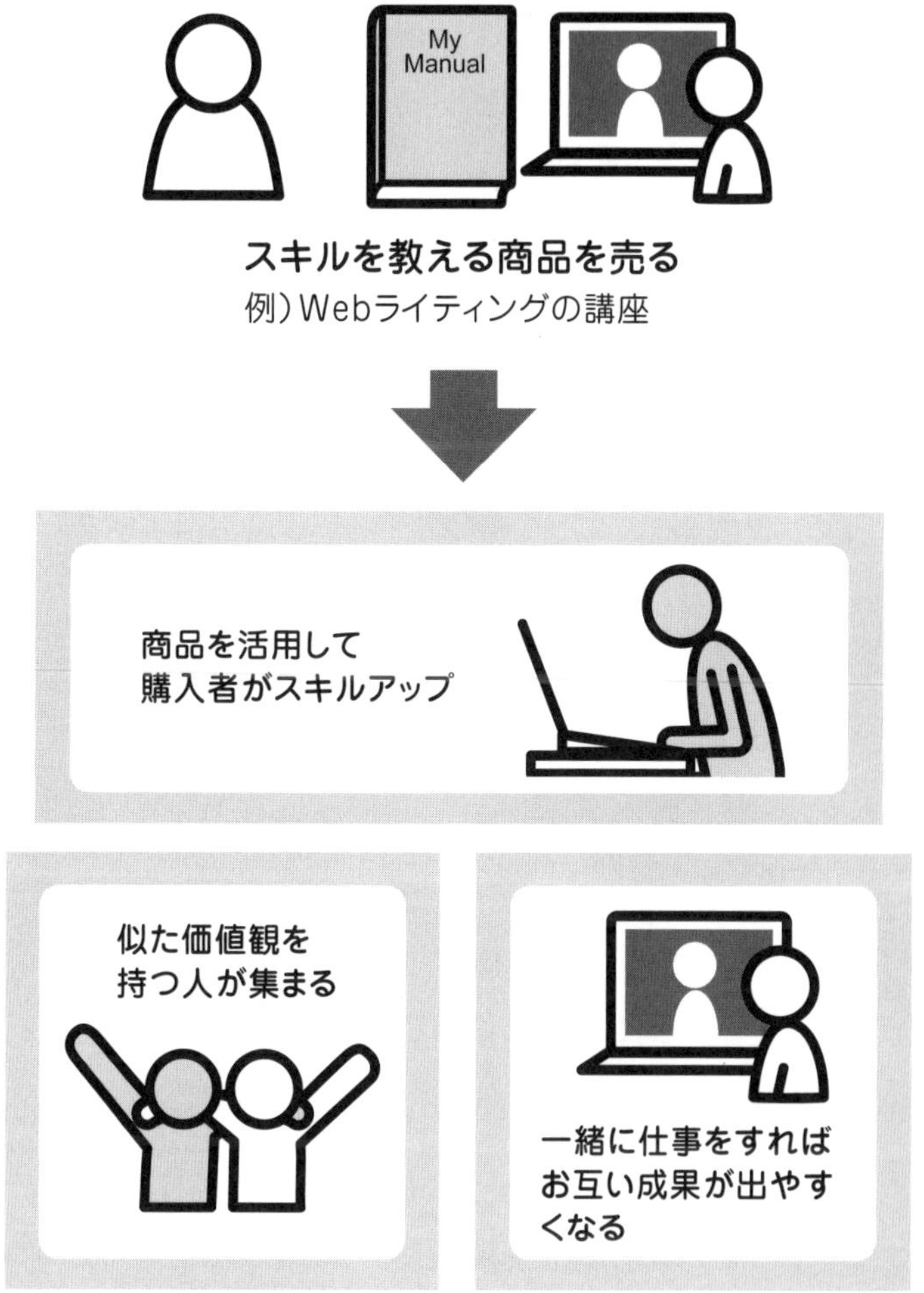
My
Manual
スキルを教える商品を売る
例）Webライティングの講座
商品を活用して
購入者がスキルアップ
似た価値観を
持つ人が集まる
一緒に仕事をすれば
お互い成果が出やす
くなる

❸徹底的にサポートする商品を作る

数年前はネット上にお役立ちコンテンツを作って数千円で売るような商品が流行《はや》っていた。僕も「ブログで10万円稼ぐ完全ロードマップ」という商品を500円で販売した経験がある。しかし今はネット上で売れるコンテンツの特性が変化して、このような商品は売れにくくなっている。

現在は、**動画講義や記事などのお役立ちコンテンツに加えて、個別サポートやグループコンサル付きの講座形式の商品が主流**だ。ネット上に質がいい商品も悪い商品も出回るようになったことが、商品の特性が変わった理由だろう。買い切りのコンテンツだけでは、本当に内容が有益かどうかわからない。もっと言うと、買ったとしても自分が稼げるようになるかわからない。だったら「徹底的に講師がサポートしてくれる商品を買いたい」という心理が働いているのだと思う。

だから、これからあなたが商品を作るのなら、徹底的に購入者をサポートすることをおすすめする。例えば僕の会社の主要メンバーであるりょうさんは、Ｗｅｂライターを育てる講座を販売している。講座の中身を簡単に紹介しよう。

- Ｗｅｂライターの基本知識を解説する動画講義
- Ｚｏｏｍを使った無制限のサポート
- 月１回の記事添削会
- 月１回のグループコンサル

このように、基本知識を学ぶための動画講義に加えて、受講生が結果を出すためのサポートを盛り込もう。個別サポートやコンサルを入れれば、数十万円単位の価格設定をしても商品は売れる。受講生を徹底的にサポートして、成果にコミットすることが、自社商品を作るうえで重要なポイントなのだ。

商品の値付け

商品を作るうえで価格は慎重に考えたい項目だ。最初は商品自体の口コミをためるために値段を下げてもいいが、無料の商品や数千円などの低価格はおすすめしない。「無料」「低価格」といった言葉を使えば良心的なサービスを演出できるかもしれないが、**安価なサービスには「テイカー」が集まりやすい**のだ。

テイカーとは、自分の利益を最優先して他人から搾取するような人を指す。僕も安い商品を売って人を集めた経験があるが、自分で努力をせずに「あれもこれも全部教えてください」というスタンスの人が集まってしまい、大変な思いをした。

商品の購入者は、これから自分が徹底的にサポートする相手だ。将来的には一緒に働くメンバーになりうる人なので、テイカーが入ってくるのはできるだけ避けたい。仮にあなたの講座にテイカーばかり入ってきた場合、対応や値付けの再設定、マーケティング設計のやり直しなどを考えると、利益率が担保できなくなってしまう。

このような観点から考えると、商品の価格は最低20万円以上は必要だ。価格の高さに驚く人もいるかもしれないが、この数字には理由がある。

- テイカーを避けるため
- 効果を最大化するため
- 自分を信頼してくれる人を集めるため
- 価格を下げても成約率は変わらないため

それぞれの項目について解説しよう。1つ目の理由は、先ほど言ったようにテイカーが入ってこないようにするためだ。安価な商品にはテイカーが集まりやすいので、価格を上げればこの問題はクリアできる。

2つ目の理由は、商品の効果を最大化するためだ。**高価格の商品は基本的に「全力で取り組む人」が買う。** 20万円という安くない金額を払うのだから、結果を出すために努力する人が多いはずだ。そのようなマインドを持っている人であれば、徹底的なサポートも効果を発揮しやすくなる。

3つ目の理由は、自分を信頼してくれる人を集めるためだ。**人が大金を支払って何かを買うのは、信用している人がいるからだ。** 不動産業者を信頼しているからマンションを買うように、大きな買い物をするときは誰かに信頼を寄せていることが多い。

今回の商品の話だと、サービス提供者であるあなたのことを信頼していなければ、20万のような大金を支払うことはないだろう。**つまり、単価を高く設定すると「あなたを信頼している人」が商品を買ってくれるのだ。**例えば、普段からあなたのＹｏｕＴｕｂｅを見ている視聴者や、ＳＮＳにコメントをくれる人などが受講生になる。このような状態を作ると、第一目的である人材採用もしやすくなる。

４つ目の理由は、価格を下げても成約率は変わらないためだ。僕の会社ではリストマーケティングの事業を展開していて、１万円から50万円以上のさまざまな価格帯の商品を売った事例がある。数字を分析したら、７万円の商品と20万円の商品を比較したときに成約率は同じだとわかった。であれば、前段の３つの理由を踏まえたときに７万円ではなく20万円を選んだほうがメリットは大きい。このような理由から、20万円以上に価格設定することをおすすめしている。

20万円以上の商品を推奨する理由

テイカーの購入を
避けられる
全力で取り組む人を集めて
商品の効果を最大化する
自分を信頼してくれる人を
集めて採用につなげる
7万円の商品
20万円の商品
どちらも成約率は
変わらない

HOW TO EARN

¥500,000,000

自社商品を販売する動線を作る

自社商品の販売動線は実にシンプルだ。簡単に流れを説明しよう。

①集客：ＳＮＳやＹｏｕＴｕｂｅを使う
②教育：ＬＩＮＥ公式アカウントを活用する
③販売：セミナーや個別面談を実施してクロージングする

この3つのステップである。**あなたが「Ｗｅｂライターで独立するためのライティング講座」を作ったとして、いきなり20万円の商品をホームページ上に公開しても、まず売れることはない。**仮に売れたとしても、正しい販売動線を作らなければ購入者には満足してもらえず、炎上する可能性がある。

そうならないために、ここまで紹介したＳＮＳアカウントやＹｏｕＴｕｂｅ、リストマーケティングを活用することになる。自社商品を販売する動線作りは、これまでやってきたことの集大成だ。難易度は高く感じられるかもしれないが、やることは決まっている。一度動線を作ってしまえば、商品が売れ続ける状態になるので、ついてきてほしい。

自社商品を売る販売動線

①集客

SNSやYouTubeを
使ってフォロワーを増やす

→自分を知ってもらう

②教育

公式LINEやメルマガを
使ってお役立ち情報を
配信する

→信頼を構築する

③販売

セミナーを実施して
自社商品を紹介する

→商品を購入してもらう

SNSやYouTubeで集客

販売動線の入口はSNSやYouTubeを使った「集客」だ。「SNSアカウントを育てる」（P198）で紹介したように、情報を発信してフォロワーを増やし、次のフェーズであるLINE公式アカウントの登録を促すのだ。僕は「X→YouTube→LINE公式アカウント」という具合に、動線を明確に決めている。

「集客にYouTubeは必須なのか？」と疑問に思う人がいるかもしれないが、僕は必須だと考えている。なぜなら先述の通り、**姿や顔を見せて視覚的な情報を与えると成約率が何倍も上がるからだ。**YouTubeで顔出しするのは、テレビに出る芸能人にファンが増えるのと同じ効果が得られるのである。

だから、僕はX経由でLINE公式アカウントの登録を促すことはしない。Xは基本的に文章のみの発信になるので、そこからLINE公式アカウントに登録する人の成約率はどうしても下がってしまう。成約率を高めるには、必ずYouTubeを見てもらうステップが必要なのだ。

ただYouTube単体では拡散性がないので、XやInstagramを使って動画をたくさんの人に見てもらう施策を打つことが大切だ。だから僕は「X→YouTube→LINE公式アカウント」という動線を組んでいるのである。あなたが販売動線を作るときにも**「視覚的な情報を発信すること」「拡散性を利用すること」**、この2つを意識するといいだろう。

「できない」原因はマインドブロック

「YouTubeで集客しよう」という話をすると「どうしても顔出ししたくない場合はどうしたらいいですか？」とよく聞かれる。どうしても顔を出すのが嫌ならXやInstagramを使って集客しても問題ないが、成約率は圧倒的に下がる。それでもいいのなら、顔出ししなければいい。

厳しい話になるが、このような質問をもらうと「マインドブロックがかかって『できない』と言う人が多すぎる」と思う。**マインドブロックを外して考え方を変えれば、大抵のことはできるのだ。**「身バレが怖い」「顔出しするのは恥ずかしい」、このような不安もわかる。だが、勇気を出して顔出しをすれば成果が出るのに、わざわざ遠回りする必要はあるだろうか？　マインドブロックを外して成果が出るのなら、僕は近道を選んだほうがいいと思う。

成果を出す人が全員優秀なわけではない。踏み込む勇気がある人、マインドブロックを外せる人が成果を出すのだ。身バレの不安や、顔を出すことへの恥ずかしさがあって行動できないくらいなら、いっそのことやめてしまえばいいと思う。

僕は受講生のコンサルでも、このような厳しい話ばかりしている。だが、その通りに行動した人は成果を出しているので、やはりマインドブロックを外すことは重要なのだ。あなたが「できない」と思うことは本当にできないのか、今一度考えてみてほしい。

集客段階で信頼残高を貯める

商品の販売において重要なのは、どれだけ成約率を高められるかだ。いくら見込み顧客の数が多くても、成約率が低ければ売り上げの見通しは立たない。

商品を売るためにLINE公式アカウントやメルマガを使って見込み顧客を教育するのは、リストマーケティングの鉄則だ。例えば、LINE公式アカウントの登録者に対して5日間にわたってお役立ち情報を発信する。1日目はWebライターの営業方法、2日目はWebライターの文章力アップのコツ、3日目はWebライターの取材のコツ……このように有益な情報を提供すれば、LINEの登録者と信頼関係を築ける。登録者が講座を使ってスキルアップすれば「教育」というステップも踏める。

そして5日間のお役立ち情報の提供が終わったあとに、商品を販売する。すると、教育を終えて信頼関係が構築されているので、単価の高い商品でも売れるというわけだ。

しかし、このようなリストマーケティングの流れは少しずつ変わってきている。僕の経験上、集客の段階で「教育」をすれば、LINE公式アカウント登録後すぐに商品を販売したほうが成約率は高い。**つまり集客段階で信頼残高が十分貯まっていれば、商品を売る**

タイミングにかかわらず成約率は高いのだ。

例えば、僕は1時間以上ライティングのノウハウを解説するような長尺動画をＹｏｕＴｕｂｅにアップしている。このような動画を最後まで見るような人は、僕に対する信頼残高が高いと考えていいだろう。すでに教育の段階を終えているので「もっとレベルアップできるような商品を買いたい」と考える人も多い。だからＬＩＮＥ公式アカウント登録後に「教育」の期間を挟まなくても、商品がすぐに売れるのだ。

信頼残高を貯めるためには、まず姿や顔を見せること。繰り返しになるが、自分の顔や話し方を見せることは、視聴者の安心感につながる。そして「時代に合った情報」を発信することも大切だ。ネットの世界は変化が早いので、1年前に結果が出た方法が今も通用するとは限らない。一度結果が出たことを延々と話し続けても、信頼残高は下がる一方だろう。**時代の流れを読み取って、価値ある情報を届けることが信頼残高を貯める近道だ。**

集客段階で信頼残高を貯める

集客段階でYouTubeを使ってお役立ち情報を配信する

例）ライティングのノウハウを伝える長尺動画

↓

やる気がある人は最後まで見る
→ 信頼残高が十分に貯まる

↓

「商品を買いたい」という目的で公式LINEに登録する人が出てくる

LINE公式アカウントで教育

販売動線の2つ目はLINE公式アカウントを使って教育することだ。「顧客を教育する」というと聞こえが悪いかもしれないが、**「有益な情報を届けたり、顧客とやり取りをしたりして信頼関係を構築する場」**だと考えよう。

LINE公式アカウントを使う理由は、登録者という限られた人だけが見られる「クローズドの場」だからだ。わざわざLINE公式アカウントに登録する人は、あなたのファンであったり、あなたの情報をもっと知りたいと思っていたりする可能性が高い。そのような人に対してのみ、クロージング（商品の販売を成約に持っていくための活動）をかけるのだ。「SNSやYouTubeで商品を販売して炎上するリスク」をなくす目的もある。

教育のツールとして、LINE公式アカウントの代わりにメルマガを使いたい人もいるだろう。メルマガとLINE公式アカウントはどちらもクローズドの場で登録者に情報を流す仕組みなので、メルマガを使っても問題はない。しかし、僕の経験上、コミュニケーションツールとして日々使うLINEのほうが開封率、成約率ともに高いので、本書ではLINE公式アカウントを推奨している。

LINE公式アカウントでは、以下の流れで販売動線を組む。

- 限定動画を配信しつつ、商品を販売する
- セミナーを実施して商品を紹介する

まずは限定動画を配信する。内容は商品のテーマにつながるような、読者に価値を届ける情報がいいだろう。例えば先ほど言ったように、Webライターの営業術、文章力アップのコツ、取材の手順といった内容を体系立てて配信する。動画のテーマは、YouTubeの内容と重複しても問題ない。角度を変えればリスナーに刺さる可能性があるので、切り口を変えて動画を作ろう。

限定動画の本数は全部で5本程度がおすすめだ。話し方がうまい人や、フォロワー数が多い人なら1本だけでも問題ない。動画の長さは、5分などの短い内容では不十分だ。あ

くまでも視聴者が満足できるような20分くらいの長さで、ある程度情報が盛り込まれているのが理想である。

またすべての動画の最後には、商品の紹介を入れる。すでにYouTubeで信頼残高が貯まっていて、最初から「商品を購入したい」と思ってLINE公式アカウントに登録する人もいるからだ。このような相手に「5本動画を見ないと商品を買えません」という状態を作るのはもったいない。したがって、1本目から5本目まで、すべての動画の最後に商品の紹介をしよう。

セミナーや個別面談でクロージング

販売動線の最後は、セミナーを実施してクロージングすることだ。細かな流れについて見ていこう。

LINE公式アカウントで5本の動画配信が終わったら、最後にセミナーの案内をする。リアルタイムで参加できるセミナーだと、温度感の高い人が集まりやすくなる。セミナーでは動画で話した内容のまとめや、視聴者が成果を出せるようなノウハウを話すといいだろう。僕がライティング講座を売るときに話したテーマは「Webライターで月10万円達成するロードマップ」だった。

セミナー実施のポイントは、視聴者が「自分にもできるかも」と思えるような内容にすることだ。僕の場合は、以下の流れに沿って話すことが多い。

● 今日のセミナーの概要

- 成果を出すマインドの話（例：Webライターに必要なマインド）
- 成果を出す手順（例：Webライターで月10万円達成するロードマップ）
- 一緒におこなうワーク（例：Webライターで月10万円達成するプランを考える）
- 商品の紹介

基本的にセミナーではスライドを使って話をするが、**可能な限り実際の画面を見せながら話していく。**例えばWebライターのスケジュール管理に使っているツールや、記事を書くときのツールなどを見せる。そうすると「実際にどんな手順を踏んで作業しているか」がわかるので、視聴者に「自分にもできるかも」と思ってもらいやすくなる。セミナー中は一方通行で話すのではなく、視聴者からのコメントを拾ったり、質問に答えたりすると信頼関係が深まっていく。

セミナー開催のポイント

体系立てた話をする
・セミナーの概要
・マインドの話
・成果を出す手順

実際に自分が
作業するときの
パソコン画面を
共有する

セミナー開催中にきた
コメントや質問に対して
積極的に回答する

「自分も同じことができるかも！」
と思ってもらうことが
成約率アップの秘訣

成約率を高めるクロージングのコツ

成約率を高めるコツは2つある。ひとつは、**冒頭の概要紹介のときに「最後におすすめのコンテンツを紹介します」と伝えること**だ。あらかじめ商品を紹介する旨を伝えれば、了承した人は最後まで離脱せずに視聴する。細かなテクニックだが、相手の〝YES〟をひとつでも多く引き出すために、必ず実施しよう。

もうひとつは、戦略的に価格を下げることだ。アンカリング効果とも言われるが、最初に定価を見せて、その後に限定価格を提示する手法がある。例えば「定価60万円のサービスですが、限定価格で39万円です」と言って商品を紹介すると、お得に感じられる。

また、僕の経験では「価格を2回下げる」ことも効果があった。1回目は限定価格として値段を下げ、さらに自分の思いを語って、もう一度価格を下げるのだ。例えば「小さな経済圏を作ることが僕の夢です。同じ夢に向かって努力してくれる人を増やしたいので、もう一段階価格を下げて29万円にします」と話す。すると、自分の夢や思想に共感してくれる人が商品を購入してくれた。

このように、ただ金額を下げるのではなく、**なぜその活動をするのか、自分の思いを伝えることも効果がある。**セミナーでは自分の作りたい未来を伝えて、視聴者に声がけしてみよう。

ここまでの流れを簡単にまとめよう。販売動線は集客、教育、販売の3つの段階に分けられる。YouTubeで集客し、LINE公式アカウントで教育し、セミナーを実施して商品を販売する。このような流れを整えれば、炎上するのを避けつつ、本当に商品を買いたいと思っている人にサービスを届けられる。あなた自身の周りに優秀な人材を集めて、小さな経済圏を作ることが可能になるだろう。

成約率を高めるクロージングのコツ

セミナーの冒頭で
「最後におすすめのコンテンツを紹介します」と伝える

→ 了承した人が最後まで聞いてくれる

戦略的に価格を下げる
「限定価格で○万円にします」

→ お得感を演出できる

自分の思いを伝える
「小さな経済圏を作るのが僕の夢です！」

→ 夢や思想に共感した人が商品を購入する

僕がTwitter（現X）を始めたときは、目的なんて考えていなかった。あったのは「とりあえずやってみるか」という気持ちだけだ。あとは「フォロワーが増えれば、ブログへのアクセスが増えるかもしれない」という浅い考えしか持っていなかった。

Twitterのアカウントを作った当初の肩書は「月12万ブロガー」。ブログに関する投稿を続けたが、何者でもない僕が発信してもアカウントは伸びなかった。そこで始めたのが、1対1の個別面談だ。100人以上に対して、ブログを伸ばすアドバイスをした。結果的にこの「どぶ板営業」は、アカウントが伸びる起爆剤になった。コンサル生をTwitterで募集したところ、毎回100人の枠が即埋まるようになり、アルゴリズム（SNSの運営会社が、優先表示する投稿を決めるルール）上優遇されるようになったのだ。1年ほどこの方法を継続して、フォロワーが1万人まで伸びた。

SNSを運営するうえで僕が意識していたのは、あくまでも泥臭くやっていくことだ。

先ほどのどぶ板営業しかり、自分が泥臭く行動している様子を見せることが、他との差別化になると思っていた。

SNSでは「かっこいい立ち位置」を狙う人が多い。スマートに結果を出す方法を教えたり、鋭い意見を言ったりするような投稿をする人はたくさんいる。だが、「かっこいい人」になればなるほど、フォロワーから離れた場所に行くことになる。僕は「近所のお兄さん」の立ち位置を狙って、少し頑張れば手が届く存在を目指すようにした。この方法は、SNSを伸ばす初動として効果があったと思っている。

今のSNSには、アルゴリズムをハックしてフォロワーを増やそうとする人がごまんといる。例えば、芸能人の名言をXで投稿して知り合い同士でリポストしたり、コメントしたりするような手法がこれに該当する。**アルゴリズムをハックすれば「フォロワー」は増えるかもしれないが、あなたの「ファン」は増えない。**

×

SNSのアルゴリズムをハックしてフォロワーを増やす

例）いいねやリポストをしあう
かっこいいことを言う
鋭い意見を投稿する

◎

等身大の自分を見せる「近所のお兄さん・お姉さん」のような立ち位置を目指す

例）個別コンサルをおこなう
泥臭く作業している様子を見せる

ただフォロワーを増やすだけだと、人材を採用してクライアントワークを事業にすることもできないし、自社商品を作っても買ってくれる人はいないだろう。**SNSを運用する目的は、フォロワーを増やすことではなくファンを増やすことだ。**この本を読んでいるあなたには、目的をはき違えないでほしい。

YouTubeを毎日更新した副業時代

繰り返しになるが、自分のファンを作るには、外見や話し方を見てもらえるYouTubeを始めるのがもっとも効果がある。僕がYouTubeを始めたときはまだ会社員だったので、仮面を被って毎日動画を投稿した。

副業でYouTubeを毎日更新するのは、なかなか骨の折れる作業だ。というのも、仮面を被ると1回では収録できない。仮面のせいで声がこもるので「音声の収録」と「姿の収録」の2つの作業が必要なのだ。本業が終わって帰宅したら、夜中まで音声の収録。翌日起床したら姿を録画する。仮面をつけて、寝ぼけまなこで音声に合わせて動きをつける。当時は外注できるような資金がなかったので、本業の昼休み中に自分で動画を編集した。

ストックを作るために、土日はひたすら動画を収録し続けた。

副業でYouTubeを更新するのは大変だったが、今では僕の仕事はYouTubeなしでは成り立たない。それほどまでに大きな力があるので、マインドブロックを外してでもYouTubeは絶対にやるべきだと思う。

小さな経済圏を作る

ブログやWebライターなどのWebスキルを身につけて、商品を売る。これは数えきれないほどの人がやっていることだが、「小さな経済圏を作る」まで意識している人はほとんどいないと思う。

僕はときどき「どうやったらそんなに優秀な人材を採用できるのか?」「どうやって法人1期目で売り上げを1・5億まで伸ばせたのか?」と聞かれることがある。それはひとえに、**自社商品を購入した人に仕事を依頼して、小さな経済圏を作る。この流れで仕組みを作ったからだ。**コストゼロで優秀な人材を採用するなんて、一般的な企業ではなかなかできない。そもそも人を集めること自体が難しいだろう。

だが、SNSやYouTubeを使えば人はどんどん集まってくる。僕のスクールの生徒は1000人まで増えており、事業を回すのに困ることはほとんどない。さらに優秀な右腕がいるので、僕が工数をかけなくても主要な仕事は進むようになっている。

どんな分野にも言えることだが、**人を動かすには自分が背中を見せるしかない**と思っている。自分がやっていないことを人に教えることはできないし、相応の努力をしていないのに人の上に立とうとしても、誰もついてこないだろう。僕は信頼できるメンバーには、成果を出す方法を惜しみなく伝えてきた。ときには無理を強いて、彼らのマインドや行動を変えるよう説得したこともある。そんなことがあっても彼らがついてきてくれるのは、ひとえに信頼があるからだと思う。信頼は、自分が積み上げてきたものの上にしか成り立たない。

7年間死ぬほど学んで行動した結果、ブログとWebライターで月300万円稼ぎ続けて起業できた。1年目の年商は1・5億、2年目の年商は2億を超えた。こうした成果を出せたのは、僕自身が行動を続けて、ついてきてくれる人が集まったからだ。

だが、最初から結果を出す自信があったわけではない。できることを少しずつ増やしていった結果、「本気になったら何でもできる」と思えるようになったのだ。成功している人は積み重ねの量が多いだけで、最初からすごいわけではない。

だから、今は無力でも自分を信じて積み重ねれば、必ず成果は出る。誰が何と言おうと、人に笑われようと、あなたが前向きになり努力しているのは素晴らしいことだ。自分を信じて突き進んでほしい。

おわりに

僕は何の才能もない凡人です。だから「難しいことは僕にはできない」と思っていた。そんな僕でも数億円稼ぐような事業が作れるようになった理由は、「人ができないスキルを学ぶからこそ、人よりも稼ぐことができる」ということに気がつけたこと。

才能がなくても毎日変わろうと試行錯誤し続ければ、人生は変わります。人生はRPGだと思っています。

例えば、あなたはRPGの主人公。始まりの村でレベル1のスライムを倒すことはできそうですよね。これが会社員で与えられた仕事をこなしているだけの状態だとすると、スキルを身につけて仕組みを作って何億も稼ぐということは、何倍もレベルの高いモンスターと戦うことと同じ。

そんな強いモンスターを倒すには、ずっと始まりの村でスライムを倒していても勝てるようにはならない。より強いモンスターを倒してレベル上げをしなくてはいけない。あなたが本書を読んで「違和感」「恐怖」を感じたのであれば、それを乗り越えればあなたのレベルが大きくアップする可能性が高い。でも、99％の人が戦う前に強いモンスターから逃げ出してしまう。

僕も勘違いしていたから偉そうなことは言えないですが、人生というRPGは「基本的に死んでもペナルティなしで復活」します。なので、何度も挑戦してレベリングしていけば、いつか今まで勝てなかった敵に勝てるようになる。

むしろ、死んでも経験値だけが残るので、より早く挑戦を繰り返した人のレベルが上がって生き残るという仕組み。これが凡人だった僕でも結果（まだまだですが）を出せた理由です。

とはいえ、強いモンスターに挑戦するのは怖いですよね。なので、僕は「EXTAGE WORKS」という「挑戦者の夢を支援する社会人救済組織」を作りました。

より効率的に「実践的な経験」ができる環境。そしてレベルが上がった人たちと一緒に仕事ができる環境。「EXTAGE WORKS」というコミュニティで生活できる経済圏を作ろうとしています。そうすれば、過去の僕と同じように「行きたくもない会社に生活のためにダラダラ出勤して、夢も希望もない」と感じている人の人生を変えられるからです。

人間はいつかは死にます。大事なのは死ぬときに後悔しないことだと僕は思います。なので、死ぬときにベッドで「あのとき、挑戦していれば……」と後悔しないように、難しいと思ったことから逃げずに今日から一緒に立ち向かいましょう。そんな人を僕は全力で応援しています。

2024年2月　たくま（福田卓馬）

ブックデザイン　三森健太（ＪＵＮＧＬＥ）
編集協力　中村昌弘、ゆらり（なかむら編集室）
特別協力　山元慎也（ＥＸＴＡＧＥ）
ＤＴＰ　向阪伸一（ニシ工芸）
図版作成　福本えみ
校正　玄冬書林
編集　中島元子（ＫＡＤＯＫＡＷＡ）

たくま（福田卓馬）
EXTAGE株式会社代表取締役社長。SEO、Webマーケティング事業、ライフプランニング事業など4社経営。1987年京都生まれ。IT関連の営業職として就職し、保険関連のシステム部門に転職。在職中に「会社員をやめて人生を変えたい」一心で副業でブログを開始、ブログ+Webライターで月300万円を1年半継続して達成。2021年6月にEXTAGE株式会社を創業。法人1期目で年商1.5億円、2期目で2.3億円達成。誰でもスキルを学び脱サラして、本気で夢に挑戦できる「小さな経済圏」の構築を進めている。著書に『文章で金持ちになる教科書』（KADOKAWA）がある。
X：@shikamarurobo
Instagram：takuma_fukudaa
YouTube：@FukudaTakuma1
HP: https://www.extage-marketing.co.jp/

仕事《しごと》を自動《じどう》で回《まわ》して富《とみ》と時間《じかん》を手《て》に入《い》れる
Web《ウェブ》ライターが5億円稼《おくえんかせ》ぐ仕組《しく》み

2024年2月22日　初版発行

著者／たくま（福田《ふくだ》 卓馬《たくま》）

発行者／山下 直久

発行／株式会社KADOKAWA
〒102-8177　東京都千代田区富士見2-13-3
電話　0570-002-301（ナビダイヤル）

印刷所／大日本印刷株式会社

製本所／大日本印刷株式会社

ISBN978-4-04-606747-0　C0030